講談社文庫

捜査官ガラーノ

パトリシア・コーンウェル｜相原真理子 訳

講談社

AT RISK

by

Patricia Cornwell

捜査官ガラーノ

●主な登場人物〈捜査官ガラーノ〉

ウィンストン（ウィン）・ガラーノ　マサチューセッツ州警察捜査官
モニーク・ラモント　地区検事
ロイ　ラモントの秘書
ジェシー・ヒューバー　科学捜査研究所所長
トービー　ヒューバーの息子
マイルズ・クローリー　知事
ヴィヴィアン・フィンリー　二十年前に殺された老婦人
ウィンの祖母
デルマ・サイクス　テネシー州捜査局捜査官
サミー　ガラーノの同僚
ロジャー・バプティスタ　暴漢
ジミー・バーバー　ヴィヴィアンの事件を担当した刑事
ジョージ・フィンリー　ヴィヴィアンの甥
キム　ジョージの妻
レイチェル（レイク）　法医学者
ハート　二十二年前に事故死した検屍官
マーク・ホランド　二十二年前に轢死した刑事

1

ケンブリッジの町は、秋の雷雨にみまわれていた。朝から激しい雨がふり続け、雨足が衰えないまま夜に突入しようとしている。

いなずまが光り、すさまじい雷鳴がとどろいた。薄闇のなか、ウィンストン・ガラーノ（「ウィン」、または「ジェロニモ」と呼ばれている）は大学の敷地内にある、ハーヴァードヤードの東の端を歩いていた。

傘はもっておらず、ジャケットも着ていない。ヒューゴボスのスーツも、黒い髪もびしょぬれで、ぺったり肌にはりついている。タクシーをおりるとき、うっかり水たまりに踏みこんでしまったため、プラダの靴も汚れてぐしょぐしょになっていた。いまいましいことに、運転手はクインシー・ストリート二〇番にあるハーヴァード・フアカルティクラブの前ではなく、フォッグ美術館のそばで彼をおろした。もとはといえば、ウィンが悪いのだ。ローガン国際空港でタクシーに乗ったとき、「ハーヴァード・ファカルティクラブへ行ってくれ。フォッグ美術館のそばだ」と、運転手に告げた。両方の名前を出せば、ハーヴァード大学にかかわりのある人間か、美術品のコレクターのような印象を与えるのではないかと思ったのだ。実際は、マサチューセッツ州警察捜査官というのが彼の身分だ。十七年前ハーヴァードに入学を志願したが、受けいれてもらえなかった。

大きな雨粒が落ちてくる。怒っただれかに頭をたたかれているかのようだ。ウィンは、古びた赤れんがの建物が点在するハーヴァードヤードの、赤れんが敷きの歩道に立った。不安な気持ちでクインシー・ストリートを見わたす。車や自転車が、水しぶきをあげながら通りすぎていく。傘の下に身をちぢめるようにして歩いていく人もいる。この場にふさわしい人たち、自分でもそれがわかっている、選ばれた人たちだ。彼らは迷うことなく、雨と霧のなかを目的地へ向かっている。

「すみません」と、ウィンは黒いウィンドブレーカーにだぶだぶの色落ちジーンズをはいた男性に、声をかけた。「高IQのメンサ会員にふさわしい難問をひとつ」

「えっ？」雨に濡れた一方通行の道路をわたってきた男性は、顔をしかめた。背中のびしょびしょのかばんから、滴がしたたっている。

「ファカルティクラブはどこですか？」

「ここだよ」男性はことさら横柄な口調で答えた。もしウィンがハーヴァードの教職員か、そうでなくてもひとかどの人物なら、クラブの場所を知っているはずだと思ったのだろう。

ウィンはジョージ王朝復古様式のみごとな建物のほうへ向かった。屋根はグレーのスレート葺きだ。れんが敷きのパティオには、濡れた白いパラソルが並んでいる。しだいに濃さをます夕闇のなかで、明かりに彩られた窓があたたかそうに見えた。雨音にまじって、噴水のひそやかな水音がきこえる。ウィンはそぼ濡れた髪を指ですきながら、つるつるした丸石のうえを歩いた。正面玄関からなかへ入ると、犯罪現場へ足を踏みいれたときのように、まわりを見まわした。あたりの光景を心にとめ、その品定めをする。おそらくそこは百年以上前、裕福な貴族の邸宅の客間だったのだろう。マホガニーの羽目板、ペルシャ絨毯、真鍮のシャンデリア、壁に飾られたヴィクトリア朝の芝居のポスターや油絵、そしてどこかの部屋へ通じる磨きあげられた古い階段。たぶん自分は一生そこに足を踏みいれることはないだろう。

時代物の固いソファに腰をおろし、床おきの大きな振り子時計に目をやる。ぴったり時間どおりだ。しかし地区検事、モニーク・ラモント（「マネー・ラマウント」とウィンは呼んでいる）の姿はどこにもない。ラモントは、ひとことでいうと、ウィンの人生を支配している女性だ。マサチューセッツ州では、地区検事が各地区のすべての殺人事件を管轄しており、州警察の捜査官がそれぞれに割り当てられている。つまり、ラモントはだれでも好きな人間を、自分の捜査チームに組み入れたり、はずしたりすることができる。ウィンはいわば彼女の手足だ。ラモントは彼にそのことを忘れさせないために、さまざまな手を使う。

彼女のあくなき野心と支配欲が生みだす政治的策略や近視眼的な論理、ウィンには気まぐれとしか思えない指令のなかでも、今回の件は最悪だった。ラモントは突然、はるか南のテネシー州ノックスヴィルへ行って、全米法医学アカデミーで研修するよう、ウィンに命じたのだ。帰ったら科学捜査の最新技術を同僚に伝え、ミスのない捜査法を彼らに教えろという。「証拠の取り扱い方をまちがったり、やるべき処置や分析を怠ったために、捜査の信用性を疑われる、というような事態は、絶対に――いいわね、絶対によ――避けたいの。そのための方法をみんなに徹底してちょうだい」と、ラモントはいった。ウィンはわけがわからなかった。マサチューセッツ州警察にも科学捜査班はある。そこの捜査官を行かせればいいではないか。しかしラモントはそれには耳を貸さず、彼を行かせる理由も説明しようとしなかった。

ウィンはぐしょぐしょになった自分の靴を見おろした。お下がりならぬ、「お上がり（ハンド・ミー・アップ）」という古着屋で、二十二ドルで購入したものだ。やはりそこで買った百二十ドルのグレーのスーツについた水のしみが、乾きはじめている。彼はこの店でデザイナーブランドの服を何枚も、格安で手に入れた。そんな値段で買えるのは、そこで扱っているのがすべて中古品だからだ。金持ち連中が飽きてしまったり、老衰したり、死んだりして、着なくなったものだ。ウィンは心配しながら待った。ラモントがノックスヴィルからわざわざ自分を呼びよせるとは、何か重大な用事なのだろうか？　ラモントの秘書で、臆病なくせに横柄なロイという男が、今朝ノックスヴィルへ電話をかけてきた。そして授業を受けていた彼を呼びだし、つぎのボストン行きの便に乗るよう命じた。

「いますぐ？　なぜだ？」ウィンはそういって抗議した。

「彼女がそうしろといってるからだ」と、ロイは答えた。

プレキャストコンクリート造りの、高層のケンブリッジ地方裁判所ビルのなかでは、モニーク・ラモントが広々したプライベートオフィスの専用化粧室から出てきた。司法の世界に身を置く他の地区検事たちとちがって、彼女は警官の帽子や記章、外国の軍服や武器、著名な法執行官の額入り写真などを集めてはいない。ラモントにそうしたものを贈ったことがある人も、二度とそうはしない。彼女はためらわずにそれを突っ返すか、人にあげてしまうからだ。ラモントが好きなのはガラス製品だ。

工芸ガラス、ステンドガラス、ベネチアガラス、モダンなガラス、時代物のガラス。オフィスに陽光がさしこむと、それらが七色の炎となって輝き、ゆれ、またたき、きらめき、訪れた人を驚かせ、動揺させる。ラモントは驚き、動揺した人たちを虹のなかに招きいれ、それからおもむろに、虹に先立つすさまじい嵐のことを彼らに伝える。

「だめよ」ラモントは大きなデスクの前にすわり、中断していた話を続けた。そのデスクはガラス製で、向こうからこちら側が透けて見える。だがラモントはまったく気にせずに、短いスカートをはく。「また飲酒運転についての、つまらない教育ビデオなんか作っても、しようがないでしょう。ユニークなことを考えるのは、わたしだけのようね」

「先週、飲酒運転の事故で、一家全員が死亡するという事件がテュークスベリーでおこっている」と、ロイがいった。彼はデスクのはすむかいのソファにすわり、ラモントに気づかれないように彼女の脚をちらちら見ている。「そっちのほうが市民にとってはよほど重大だと思うね。何年も前に南部の田舎町でおこった殺人事件より。このあたりじゃ、だれもそんな事件のことをおぼえちゃいない……」

「ロイ」ラモントは脚を組み、自分を見ているロイを見つめた。「あなたにもお母さんはいるでしょう？」

「おい、おい、モニーク？」

「もちろん、いるわよね」彼女は立ちあがって、部屋のなかを行ったり来たりしはじめた。太陽が出ればいいのに、と思っている。

ラモントは雨が大きらいだ。

「体重四十キロそこそこの、自分の年老いた母親が自宅でめちゃくちゃに殴られ、そのまま放置されて、たったひとりで死んだとしたら、どんな気がする、ロイ？」

「だからね、モニーク。重要なのはそういうことじゃない。われわれはマサチューセッツ州内の未解決殺人事件を扱うべきなんだ。ヒックヴィルでおきた事件ではなくて。このことはもう何度も話しあったじゃないか」

「わかってないのね、ロイ。こっちから優秀な捜査官を送りこんで迷宮入りになっている事件を解決したら……」

「わかってるよ。全国的に注目されるというんだろう？」

「力強い手をさしのべて、恵まれない――まあ、いろんな意味でね――人たちを助けるの。昔の証拠を手に入れて、調べなおす……」

「そしてそれは、ヒューバーの手柄になるわけだ。彼と知事のね。あなたにもそれはわかっているはずだ」

「わたしの手柄にもなるわ。そうなるように、ちゃんと手配するのがあなたの役目……」

ラモントは唐突にことばを切った。オフィスのドアがあき、助手がノックもせずに入ってきたのだ。彼はヒューバーの息子だ。不自然なまでのタイミングのよさだ。立ち聞きしていたのだろうか？　ちらっとそう思ったが、ドアはしまっていた。声がもれるはずはない。

「トービー」ラモントはとがめるようにいった。「またノックせずに入ってきた？　それともわたしがおかしいの？」

「ごめん、ごめん。考えごとをしてたもんで」彼は鼻をすすり、剃った頭をふった。薬でラリっているようにも見える。「いまから出かけるってことをいいにきたんだ。忘れてるといけないと思って」

行ったまま帰ってこなきゃいいのに、と彼女は思った。

「大丈夫、忘れてはいないわ」

「来週の月曜日には帰る。マーサズヴィニヤード島で、ぶらぶらするつもりだ。寒いだろうけど。ぼくの宿泊先はおやじが知っているから、何かあったらきいてくれ」

「用事は全部すませたの?」

彼はまた鼻をすすった。コカインをやっているにちがいない、とラモントは思っている。「ええと、用事って?」

「あなたのデスクの上に置いといたでしょう」ラモントは金色のボールペンでリーガルパッドを軽くたたきながら、いった。

「ああ、やったよ、もちろん。ついでに気をきかせて、後片づけもちゃんとしておいた。お手をわずらわせなくてもすむようにね」そういってにやっと笑った。ぼうっとした表情の奥に、ラモントに対する敵意がかいま見える。彼は後ろ手にドアをしめて出ていった。

「あれは手痛い失敗だったわ」と、ラモントはいった。「仕事仲間のたのみは、断るべきね」

「もう決めているんだろう? 死んでも考え直すつもりはないんだよね」ロイはさっきの話を続けた。「もう一度いうけど、その判断はまちがっている。命とりになりかねない大きなまちがいだ」

「死んでもとか、命とりとかいうのはやめてちょうだい、ロイ。いやな感じよ。ああ、コーヒーが飲みたい」

マイルズ・クローリー知事は、黒いリムジンのバックシートにすわっていた。仕切りは上げてあり、警護官もそばにいないから、彼が電話で話す声はだれにもきこえない。

「自信過剰になって、いいかげんにやらないように」知事はピンストライプのズボンをはいた長い脚を、前にのばしている。視線を落とし、ぴかぴかに磨かれた黒い靴をぼんやり見つめた。「だれかがしゃべったらどうする？　そもそもこのことを電話で話すのはまずいんじゃ……」

「大丈夫、これにかかわっているその『だれか』は、しゃべったりしない。絶対に。それに、わたしはいいかげんに物事をやる人間ではない」

「この世で絶対なのは死と税金だけだ」知事は意味不明なことをいう。

「この場合は、絶対に、といえる。確実だよ。それがどこにあるか知らなかったのはだれ？　なくしたのは？　隠したのは？　何があろうと、立場が悪くなるのはだれだ？」

知事は窓の外の闇と雨と、それをとおして光るケンブリッジの町の灯をながめた。この話には乗るべきではなかったかもしれない、とちらっと思ったが、結局こういった。

「まあ、もう後戻りはできない。マスコミに出てしまったからね。いまのことばが正しいことを祈るんだな。もしうまくいかなかったら、きみの責任だぞ。きみがいいだしたことなんだから」

「まかせてくれ。必ずよい知らせが行くから」

たまにはよい知らせがほしいものだ、と知事は思った。最近は妻にいらいらさせられることが多いし、腹の具合も悪い。しかもこれからまた晩餐会に出なければならない。会場はフォッグ美術館だ。向こうへ行ったらドガの絵を見てまわって、二言、三言、コメントするつもりだ。そうして、自分が教養のある人間であることを、美術好きの慈善家やハーヴァードのエリートたちに印象づけるのだ。

「この件については、これ以上話したくない」と、知事はいった。

「マイルズ……」

彼はファーストネームで呼ばれるのが大きらいだ。相手がどんなに親しい人間でもだ。クローリー知事、そしてそのうちクローリー上院議員、と呼ばれたい。

「……いずれわたしに感謝することになるよ、きっと……」

「同じことを何度もいわせないでくれ」クローリー知事は警告するようにいった。

「この話をするのは、これで終わりだ」電話を切り、携帯電話を上着のポケットに戻す。

リムジンはフォッグ美術館の前でとまった。クローリーは警護官が彼を車からおろし、つぎの公務の場へ導いてくれるのを待った。彼ひとりをだ。腹立たしいことに、妻は鼻かぜからくる頭痛のため、来られない。クローリーは一時間ほど前にドガについて簡単な説明を受けた。おかげで、すくなくとも彼がフランス人であることと、その名前の発音のしかたはわかっている。

ラモントは立ちあがり、部屋のなかをゆっくり歩きまわった。焦げたような味がするコーヒーを飲みながら、窓の外の暗く沈んだ、雨の夕暮れをながめる。

「もうメディアからの電話がかかりはじめている」と、ロイが注意を促した。「それがそもそものねらいでしょう」

「まさかの場合の収拾策も考えておかないと……」

「ロイ。もうたくさんよ！」

なんて臆病なんだろう、腑抜け（ふぬ）けもいいところだわ。ラモントは彼に背を向けて思った。

「モニーク、知事が考えた案が、最終的にこちらに利益をもたらすとは、どうしても思えないんだが」

「新しい科学捜査研究所の建設費として、五千万ドルの予算を獲得するためにはね」ラモントはすでに話したことを、またかんでふくめるようにいいはじめた。「世間の注意をひく必要がある。わたしたちが技術を向上させ、研究者の数をふやし、研究のための器具をもっと購入し、全国一の、いえ世界一の規模のDNAデータベースをつくることは、無駄ではない。それを市民や議員に納得させなきゃ。気のいい南部の人たちが、二十年も段ボール箱のなかにしまいこんでいた古い事件を解決したら、英雄扱いされるでしょうよ。納税者の支持もえられるし。ひとつ成功すれば、万事うまくいくってわけ」

「またヒューバーに洗脳されたな。科学捜査研究所の所長なら、だれだってそれをやらせようとするよ。たとえあなたがリスクを負うことになっても」

「これがすばらしい案だってことが、どうしてわからないの?」彼女は雨を見ながら、いらいらしていった。雨はものさびしく、執拗(しつよう)にふり続けている。

「クローリー知事があなたを嫌っているのがわかっているからさ」と、ロイは答えた。「彼がなぜこの計画をあなたにやらせるのか、考えてごらん」

「なぜかというと、州内の地区検事のなかで、わたしがいちばん目立つ存在だからよ。それに女だし。わたしにやらせることで、自分は女性を差別する、心のせまい、右翼のがんこものではない、とアピールしたいのよ。実際はそのとおりの人間なんだけど」

「あなたは次期知事選での、彼の対抗馬なんだよ。計画が失敗したら、責任を問われるのは知事ではなく、あなただ。南軍のロバート・E・リー将軍よろしく、降伏することになる……」

「じゃ、向こうはユリシーズ・S・グラント将軍ってわけね。ウィンがうまくやってくれるわよ」

「それより、さんざんな目にあわされる公算のほうが、大きいんじゃないかな」

ラモントはゆっくりロイのほうへ向きなおり、彼が手帳をぱらぱらめくるのを見つめた。

「あなたはウィンのことを、どれぐらい知っているのかな?」と、ロイはきいた。

「彼がチームでいちばん優秀な捜査官だってこと。戦略的には、この役にぴったりの人材よ」

「見栄っぱりで、着るものにこだわる」ロイはメモを読みあげた。

「ブランドものの服。車はハマー。ハーレーももっている。どうしてそんなぜいたくができるのかは不明。腕時計はロレックス」

「ブライトリングよ。チタンの。たぶん彼がひいきにしているリサイクルショップのどれかで手に入れた、新品同様の品ね」

ロイは当惑して顔を上げた。「ウィンが自分のものをどこで買うかを、どうして知ってるんです？」

「わたしにはいいものを見る目があるからよ。ある朝、彼がエルメスのネクタイをしていたから、どうしてそんな高価なものが買えるのかきいたの」

「現場へ呼ばれたとき、到着するのにいつも時間がかかる」と、ロイは続けた。

「だれがそういったの？」

ロイはまた手帳をぱらぱらめくり、ページを指でたどりはじめた。ラモントは声を出さずに読んでいる彼を見て、きっと口を動かすだろうと思った。ほら、動いた。やれやれ。どっちを向いても程度の低い人間ばかり。

「彼はゲイではないようだ」と、ロイがいった。「その点は好ましいな」

「イメージキャラクターとして使おうとしている刑事がゲイなら、かえってわたしたちの心の広さをアピールできるかもよ。ところで、彼はどんなお酒が好きなの？」

「ウィンがゲイじゃないことは、確かだな。女たらしだというから」

「だれがそういったのよ？　彼の好みのお酒は？」

ロイは一瞬ぽかんとしてから、「酒？　すくなくとも飲酒に関してはとくに問題はない……」といいはじめた。

「ウォッカ、それともジン、ビール？」ラモントは堪忍袋の緒が切れかけていた。

「さあ、わからないな」

「じゃ、彼と親しいヒューバーに電話して、きいてちょうだい。わたしがファカルティクラブへ行く前に」

「ときどきあなたが何を考えてるのか、わからなくなるよ、モニーク」ロイはまたメモに目を落とした。「ナルシストだそうだ」

「あのルックスなら、だれだってそうなるでしょうよ」

「うぬぼれが強い。外見はともかく、中身がない。彼のことを同僚が何といっているか、きいてみるといい」

「いまきいたのが、まさにそれでしょう」

彼女はウィン・ガラーノの姿を思いうかべた。ウェーブのかかった黒い髪、非の打ちどころのない顔。なめらかな褐色の石を彫りあげて作ったかのような肉体。そしてその目。彼の目にはとらえどころのない何かがひそんでいる。ウィンに見つめられると、心のなかを見透かされているような、妙な気持ちになる。ウィンには彼女が何を考えているのかわかるし、ひょっとすると彼女が知らないことも知っているのでは、という気にさせられる。

彼はまさに映像向きの人間だ。テレビでも写真でも映えるだろう。

「……ウィンについて評価できる点は、ふたつだけだな。見場がいいこと、それに」と、役立たずのあわれなロイがいっている。「大枠でいえばマイノリティに属していることだ。色の薄い黒人だからね」

「何ですって？」ラモントは彼をにらんだ。「いまのことば、きかなかったことにするわ」

「それじゃ彼みたいな連中のことを何て呼べばいいんだ？」

「とくべつな呼びかたをする必要はないでしょう」

「アフリカ系イタリア人かな？　うん、そんなところだな」ロイは自問自答しながら、手帳をめくった。「父親が黒人で、母親がイタリア人だ。息子には母方の姓のガラーノを名乗らせることにしたんだな。理由はいうまでもない。両親は死亡している。欠陥ヒーターが原因だ。彼が子供のころに住んでいたぼろ家で」

ラモントはドアの裏にかけてあるコートをとった。

「ウィンの生い立ちは謎に包まれている。だれに育てられたのか不明。本人は近親者の名前をあげていない。緊急の場合の連絡先として、ファルークという名前を記載している。住んでいるアパートの家主らしい」

ラモントはバッグから車のキーをとりだした。

「彼のことより、もっとわたしのことを考えてほしいわ。ウィンの生い立ちなんてどうでもいい。重要なのはわたしのほうよ。わたしの業績。わたしの経歴。わたしの見解。市民が関心をよせている事柄、とくに犯罪についての。今日の犯罪だけではない。昔のものも含めてね」部屋を出ていきながらいった。「あらゆる犯罪。時代を問わず」

「なるほど」ロイは彼女のあとに続いた。「いまのはスローガンにぴったりだな」

2

　ラモントは傘をすぼめ、丈の長い黒いレインコートのボタンをはずした。固くてすわり心地の悪そうな、アンティークのソファに、ウィンが腰かけている。

「お待たせしてごめんなさい」と、彼女はあやまった。

　もし本当にウィンに迷惑をかけたくないと思っているのなら、夕食をともにするために、はるばる飛行機でここまで来るように命じたりはしないだろう。全米法医学アカデミーでの研修を中断させ、例のごとく彼の生活をかき乱すようなまねはしないはずだ。ラモントは酒屋の名前入りのビニール袋をさげていた。

「会合があったもので。道路もすごく混んでいたし」四十五分遅刻したあげくの言い訳だ。

「いや、ぼくもいま来たところだ」ウィンはそういって立ち上がった。スーツには水のしみが一面についている。雨に濡れて入ってきたばかりなら、乾いているはずがない。

　ラモントはコートを脱いだ。その下にあるものは、ウィンの目をひかずにはおかなかった。彼女はウィンが知っているどの女性よりも、スーツが似合う。ラモントにとびきりの美貌を与えるとは、母なる自然はもったいないことをするものだ。モニーク・ラモントというフランス風の名前をもつ彼女は、容貌もフランス人のようだ。浅黒い肌がエキゾチックで、どこか危険な香りのするセクシーな魅力にあふれている。もし人生の道筋がいまとはちがっていて、ウィンがハーヴァードへ行き、彼女がこれほど野心的でわがままでなかったら、おそらくふたりは気があい、ベッドをともにしていただろう。

ラモントは彼が手にもっているスポーツバッグに目をとめ、やや眉をひそめた。

「いくらなんでもやりすぎじゃない？　空港からここへ来るまでのあいだに、トレーニングしたわけ？」

「ちょっともってくるものがあったもので」ウィンはてれくさそうにバッグをもう一方の手にもちかえた。なかに入っているガラスの品物が音をたてないよう、気をつける。それらは彼のようにタフな捜査官が、ラモントのようなタフな地区検事の前でもつには、ふさわしくない代物（しろもの）だった。

「クロークに置いてくるといいわ。男子用トイレのとなりよ。銃は入っていないんでしょう？」

「ウージーが一丁だけだ。最近は、機内持ち込みが許されるのはそれくらいだからね」

「ついでにこれもかけてきてちょうだい」ラモントは彼にコートをわたした。「それから、これはプレゼント」

そういって、ビニール袋を彼に手わたす。ウィンはなかをのぞいた。木箱入りのブッカーズが入っている。彼のお気に入りの、高価なバーボンだ。

「どうしてわかったんだ？」

「自分のスタッフのことは、いろいろ知ってるの。そうするように心がけているから」

ウィンは「スタッフ」と呼ばれたことが、腹立たしかった。「ありがとう」と、小声でいう。

クロークへ入ると、バッグを棚の最上段の、人目につかないところに注意深く置いた。それからラモントのあとについて、ダイニングルームへ入った。白いクロスのかかったテーブルにはキャンドルがともされ、白い上着を着たウェイターが控えている。ウィンは自分のしみだらけのスーツと、ぐしょぐしょの靴のことを考えまいとした。ふたりは隅のテーブルに、向かいあってすわった。外は暗く、クインシー・ストリートの街灯の明かりが、雨と霧にかすんでいる。人々が夕食をとるためにクラブへ入ってくるのが見えた。服にしみがついたりしていない、ここにふさわしい人たちだ。おそらくハーヴァードの卒業生か教員だろう。モニーク・ラモントがデートしたり、友達づきあいしているような連中だ。

『危機回避』のことだけど」と、ラモントは話しはじめた。「知事が提案した、犯罪撲滅のための新たな構想よ。彼はわたしをその実行役に任命したの」リネンのナプキンを広げて、ひざにかける。ウェイターが注文をとりに来た。

「ソーヴィニョンブランをグラスでちょうだい。この前にいただいた南アフリカ産のね。それから、スパークリングウォーター」

「ぼくはアイスティー」と、ウィンはいった。「犯罪撲滅のための構想？　何のこと？」

「どうぞ遠慮しないで好きなものをたのんで」ラモントはにっこりした。「今夜は正直にいきましょう」

「じゃあ、ブッカーズ。オンザロックで」ウィンはウェイターにいった。

「DNAは太古の昔から連綿と続いている」と、ラモントは話を再開した。「祖先伝来のＤＮＡを調べることで、身元不明の死体の身元を特定することができる。民間の研究所で開発している、新しい技術のことを知っている？」

「もちろん。サラソタのＤＮＡプリント・ゲノミクス社の協力で、いくつかの連続殺人事件が解決されたときいている……」

ラモントは彼のいうことを無視して続けた。「犯人がだれかわからない事件で、残されていた生体サンプルのＤＮＡと一致するものが、データベースにない場合。この最新技術を使って、もう一度調べなおすことができる。それによって、たとえば容疑者は男性で、人種は遺伝子的にいうとヨーロッパ系八二パーセント、ネイティヴ・アメリカン系一八パーセントという結果が出たとすれば、犯人は白人だとわかる。髪や目の色が特定できる可能性もある」

「なぜそれが『危機回避』ってことになるんだ？　知事がこの新しい構想に何か呼び名をつける必要があったのはわかるけど」

「とてもわかりやすい名前だと思うわ。犯罪者がひとりつかまれば、社会はそれだけ危機を回避できるわけだから。この名前はわたしが考えたの。この構想については、わたしが全責任を負っている。これはわたしのプロジェクトよ。だから全力でとりくむつもり」

「出すぎたことをいうようだけどね、モニーク、この話はメールしてくれればすんだんじゃないか？　知事の最新のスタンドプレーについてきかされるために、ぼくは暴風雨をついてテネシーから飛んでこなきゃならなかったのか？」

「この際、遠慮なくいわせてもらうわ」ラモントは途中で口をはさんだ。毎度のことだ。

「遠慮しないのはあなたの得意わざだね」ウィンはにやにやした。ふいにウェイターが、ふたりの酒をもって戻ってきた。彼のラモントに対する態度は、丁重そのものだ。

「率直にいうわ。あなたはそこそこ優秀だし、いかにもマスコミがとびつきそうな人材なのよ」

もうマサチューセッツ州警察をやめようか。ウィンがそう考えるのは、これがはじめてではなかった。彼はバーボンのグラスを口に運び、ダブルにすればよかったと思った。

「二十年前に、ノックスヴィルである事件がおこって……」と、ラモントが話を続ける。

「ノックスヴィル？」

いなかった。ウェイターは注文をとるために、まだそこにいる。ウィンはまだメニューを見ても

「まずビスクね」ラモントが注文した。「つぎにサーモン。それからソーヴィニヨンブランをもう一杯。こちらには、あのオレゴンのおいしいピノをさしあげて」

「ぼくはステーキ。どんなのでもいいけど、焼きかたはレアだ。それにサラダ。バルサミコ酢のドレッシングね。ポテトはいらない。さてと。ぼくが研修のためにノックスヴィルへ送られると、あなたは急に、昔そこでおこった事件を解決することにきめる。それはたんなる偶然というわけだな」

「年配の女性が撲殺された」ラモントはかまわず続ける。「強盗のしわざだと思われる。性的暴行を受けた可能性もある。全裸で、パンティがひざのあたりまでずり下げられていた」

「精液は？」ウィンはきかずにはいられなかった。捜査の動機が何であろうと、事件の話にはひきこまれてしまう。

「わたしもくわしいことは知らないの」ラモントはバッグから茶封筒を出して、彼にわたした。

「なぜノックスヴィルなんだ？」ウィンはこだわった。猜疑心がつのっていく。

「とにかく殺人事件と、それを捜査する腕ききの人間が必要だったのよ。あなたがノックスヴィルにいたから、そっちでどんな事件が未解決になっているか調べた。するとこれが見つかったわけ。発生当時はかなり騒がれたようだけど、いまはすっかり忘れられている。被害者のこともね」

「マサチューセッツにも、迷宮入り事件はたくさんあるのに」ウィンはさぐるようにラモントの顔を見た。彼女の真意をはかりかねている。

「簡単に解決できると思うわ」

「さあ、どうかな」

「都合のいい点がいくつかあるの。もし解決に失敗しても、向こうの事件なら、それほど目立たないわ。こういう筋書きなの。あなたはアカデミーで研修しているときにこの事件のことをきいて、マサチューセッツ州警察が協力できるかもしれない、と申しでた。新しいDNA分析の手法を使って、事件解決を手助けしようと……」

「つまり、うそをつけというんだね」

「そつなくやってほしいの。うまくね」

ウィンは封筒をあけ、新聞記事のコピーと検屍や検査の報告書をとりだした。どれもあまり鮮明ではない。たぶんマイクロフィルムを拡大したものだろう。

「科学よ」ラモントは自信たっぷりにいった。「もし本当に神の遺伝子が存在するなら、悪魔の遺伝子もあるかもしれない」と、いいそえる。ラモントはこうした、一見深遠な、謎めいたことばを吐くのが大好きだ。

それらは名文句といえるほどだ。

「わたしは逃げた悪魔をさがすの。そいつの祖先伝来のDNAをつきとめて」

「なぜDNAの分析では定評のある、フロリダのあの検査機関を使わないんだ？」ウィンは検屍報告書の不鮮明なコピーに目をとおした。「ヴィヴィアン・フィンリー。セコイア・ヒルズ。川沿いにあるノックスヴィルの高級住宅地だな。百万ドル以下ではそこに家をもつのは無理だ。被害者はそうとうひどく殴られたようだな」

ラモントにわたされた報告書には写真は含まれていないが、検屍記録から、いくつかのことがわかった。組織反応がかなりあることは、ヴィヴィアン・フィンリーがしばらく生存していたことを示唆している。顔には裂傷やあざが見られ、閉じた両目ははれあがっている。頭皮をはがすと、大きな打撲傷があり、頭蓋骨に穴があいていた。丸い面がすくなくともひとつある凶器で、くりかえし強打されたためだ。

「DNA検査をするからには、証拠があるわけだな。いままでどこに保管されていたんだ？」

「事件発生当時に検査をしたのが、ＦＢＩだということしか知らないわ」

「ＦＢＩ？　どうして連邦捜査局がこれにかかわったんだ？」

「まちがえた。ＦＢＩじゃなくて、州当局よ」

「ＴＢＩだね。テネシー州捜査局」

「当時はＤＮＡ検査なんか、していなかったと思うわ」

「そうだな。そのころはまだ暗黒時代だ。昔ながらの血清学的検査や、ＡＢＯ式血液型検査をやっていたんだろう。どんな検査をして、その結果はいままでどこにあったんだ？」と、ウィンはまたきいた。

「血のついた衣服。それがまだノックスヴィル警察の証拠品室に保管してあって、カリフォルニアの検査機関に送られたときいたけど……」

「カリフォルニア？」

「こうしたことはみんなヒューバーがくわしく調べたの」

ウィンは手わたされた書類のコピーを指さした。「これで全部？」

「ノックスヴィルのモルグは事件後に移転したらしいの。古い記録はどこかに保管してあるということよ。いまここにあるのは、トービーがさがしだしたものなの」

「つまり、あいつが検屍局に作成させた、マイクロフィルムのコピーということだな。めざましい仕事ぶりだ」ウィンは皮肉っぽくいった。「なぜあんなとろいやつを助手にしているのか、わけが……」

「理由はわかっているでしょう」

「ヒューバーにあんなばかな息子がいるなんて、信じられないよ。科学捜査研究所の所長に何かたのまれたときは、慎重に対処したほうがいいよ、モニーク。彼がどんなにすばらしい人間でもね。公私混同と見なされるおそれがあるから……」

「その件については口を出さないでほしいわ」ラモントが冷ややかにいう。

「トービーを押しつけたことで、ヒューバーはあなたにたいへんな借りができたわけだな」

「いいわ。今夜は率直に話すという約束よね？」ラモントは彼の目を見て、その視線をとらえた。「わたしが軽率だった。あなたのいうとおりよ。トービーは役立たずの、どうしようもないやつだわ」

「警察のファイルが必要だな。役立たずのトービーは、詳細にして根気強い調査の過程で、そのコピーも手に入れたんじゃないか？」

「ノックスヴィルへ戻ったら、あなたが自分でやればいいわ。トービーは休暇で出かけてしまったから」

「かわいそうに。きっと働きすぎて疲れたんだろう」

ラモントは、ウェイターがワイングラスをふたつのせた銀の盆をもってやってくるのをながめた。「このピノはきっと気にいるわ。ドルーアンのものよ。オレゴンのピノは娘が作っているんだけど」

ウィンはゆっくりワイングラスをまわし、香りをかいで、味わった。「忘れたの？　ぼくをアカデミーへ送ったのは、そこがあなたのいう、『犯罪科学のハーヴァード』だからだろう？　研修期間がまだあと一ヵ月残っているんだよ」

「大丈夫、向こうはいろいろ融通してくれるわよ、ウィン。研修を途中でやめろとはいっていないわ。あなたが捜査をおこなうことは、アカデミーにとっても利益になるはずだし」

「じゃ、寝ているあいだにでも捜査しよう。つまり、こういうことだな」ワインを飲みながらいった。「あなたは全米法医学アカデミーやノックスヴィル警察、ぼくやほかの連中をみんな、政治的な目的のために利用しようというわけだ。ひとつききたいんだけどね、モニーク」彼女の目をしっかり見つめながら、思いきっていう。「あなたは殺された老婦人のことを、本気で気にかけているの？」

「こんな見出しになるわ。『マサチューセッツの敏腕刑事、小都市の警察に協力して、二十年前の事件を解決。小銭のために殺害された老婦人の恨みを晴らす』

「小銭？」

「さっきわたしした新聞記事に出ているわ。ミセス・フィンリーは銀貨を集めていたの。銀貨が入った箱をドレッサーの上に置いていた。わかっているかぎりでは、なくなっていたのはそれだけだったの」

ふたりがハーヴァード・ファカルティクラブを出て、古びたれんが敷きの舗道を歩いてクインシー・ストリートへ向かったとき、雨はまだふり続いていた。

「これからどうするの？」と、ラモントがきいた。大きな黒い傘で体がなかば隠れている。

ウィンは、傘の木製の柄をかたく握った、彼女のほっそりした指に目をとめた。爪はきれいにまっすぐ切りそろえてある。マニキュアは塗っていない。黒いワニ革のバンドのついた、ホワイトゴールドの大ぶりな腕時計は、ブレゲだ。指にはハーヴァードの紋章のシグネットリングをはめている。ラモントが地区検事として、またロースクールの不定期の講師として得ている報酬がいくらだろうと、関係ない。彼女には親から受けついだ財産――ウィンがきいたところでは、莫大な額――があり、ハーヴアード・スクエアのそばに歴史のある立派な家をもっている。車は深緑色のレンジローヴァーだ。その車は、雨に濡れた暗い通りの向こうに停めてあった。

「どうぞお気づかいなく」ウィンは、車で送ってあげようといわれたかのように答えた。「ハーヴァード・スクエアまで歩いて、タクシーをひろうよ。あるいはチャールズホテルへ行ってみる。レガッタバーで、いいジャズをやってるかもしれないから。ココ・モントーヤは好き？」

「今夜はやめておくわ」

「今晩モントーヤが演奏するとはいってないよ」

それに、彼女を誘うつもりもなかった。

ラモントは落ち着かない様子で、コートのポケットをさぐっている。何かさがしているらしい。「捜査の状況を知らせてちょうだいね、ウィン。できるだけくわしく」

「とにかく証拠を手がかりにして捜査をすすめるよ。ささいなことだから忘れられがちだけど、証拠がなければ調べようがない」

ラモントはいらいらした様子で、高価そうなハンドバッグのなかへ手をつっこんだ。

「それから、こんなあたりまえのことをいうのは気がひけるけど」と、ウィンは続けた。むきだしの頭に雨があたり、首筋を流れ落ちる。「事件を解決できなければ、この『危機回避』構想は何の役にもたたないわけだな」

「でも、すくなくともＤＮＡプロファイリングをおこなうことはできる。そのおかげで事件を再捜査する道がひらけたといえばいい。それだけでも注目すべきこと、人道的なことよ。それに、事件を解決できなかったと認めなければいい。まだ調べている。捜査は続行中ということにするの。あなたはアカデミーでの研修を終え、通常の業務に戻る。そのうち、またみんなこの事件のことを忘れてしまう……」

「そしてそのころには、あなたは知事になっているかもしれない」

「皮肉っぽい言い方はやめて。わたしのことを血も涙もない人間だと思っているようだけど、それは誤解よ。鍵はいったいどこへいっちゃったのかしら？」

「手にもっているじゃないか」

「家の鍵がないのよ」

「いっしょに行って、あなたが無事に家へ入るのを見届けようか？」

「けっこうよ、キーボックスにスペアキーがあるから」彼女はそういうと、ウィンを雨のなかに残して去っていった。

3

ウィンは通りを見まわし、目的ありげに歩道をゆく人々と、水しぶきをあげてとおりすぎる車をながめ、ラモントの車が走り去るのを見送った。

それからハーヴァード・スクエアへ向かった。こんな天気にもかかわらず、カフェやコーヒーショップは混みあっている。ウィンはピートの店へ入り、人を押しわけてなかへすすんだ。店内にいるのはほとんどが学生だ。特権的な、自分のことで頭がいっぱいの連中だ。ウィンがカフェラッテを注文すると、カウンターの後ろにいる若い女性は彼をぽかんと見つめ、顔を赤らめた。ウィンはそんなふうに見られることには慣れている。いつもは多少いい気分になったり、おもしろがったりするのだが、今夜はちがった。ラモントがいかに自分をみじめな気持ちにさせるかを、くよくよと考えずにはいられなかった。

彼はカフェラッテをもって、ハーヴァード・スクエアを横切った。ここには地下鉄のレッドラインの駅があるが、この線を利用する客の大半はハーヴァード大学の学生ではない。ハーヴァードがたんに地元の大学のひとつにすぎないと思っている人も多いだろう。ウィンはジョン・F・ケネディ・ストリートに沿った歩道をゆっくり歩きながら、目を細めて、こちらへ向かってくる車のヘッドライトをながめた。まぶしい光を切り裂くようにふりしきる雨を見ると、子供がえんぴつでかきなぐった雨の絵を思いだした。自分が子供のころに描いていたような絵だ。犯罪現場や人間の醜悪な面を題材にするとき以外は、そんな絵を描いていた。

「トレモント・ストリートとブロードウェイ・ストリートの角まで」タクシーに乗りこんでそう告げ、ビニール張りの座席にスポーツバッグをそろそろと置いた。

運転手は頭の後ろを見せたままふりかえらず、中東訛(なま)りの英語でいった。

「トレイモンド？　それと？」

「トレ－モントとブロ－ド－ウェイ。その交差点でおろしてほしいんだ。道がわからないのなら、とめてくれ。おりるから」

「トレイ－モント。どこの近く？」

「イン－マン・スクエア」ウィンは大声でいった。「そっちのほうへ行ってくれ。どこかわからないなら、歩いていくよ。金は払わないからね」

運転手はぐいとブレーキを踏んで、ふりむいた。浅黒い顔と黒い目がウィンをにらみつける。

「払わないなら、おりてくれ！」

「これが見えるかい？」ウィンは札入れをとりだし、マサチューセッツ州警察のバッジを彼の顔につきつけた。「この先、何度も違反切符を切られることになってもいいのか？　車検のステッカーの有効期限が切れてるぞ。知ってたか？　それにテールランプが片方切れている。気がついてたか？　とにかくブロードウェイまで行けよ。シティホールアネックスを見つけられるか？　その先は指示するよ」

車は無言のふたりを乗せて走った。ウィンは後ろにすわり、ひざの上で両手をにぎりしめている。モニーク・ラモントと食事をした余韻が残っているからだ。妙なことに、知事選に出馬するつもりのラモントは、再選をめざすクローリー知事のために、ひと働きするよう彼に命じた。それがうまくいけばクローリー知事の、そしてラモントの功績になる。ふたりは互いにその功績をひっさげて、知事選で戦おうというのだ。政略。ばかげた話だ。テネシーの田舎で殺害された老婦人のことなど、どちらも本当は気にもかけていない。暗闇のなかにすわって考えれば考えるほど、怒りがつのった。タクシーは走り続けている。ウィンの指示がなければ、運転手はどこへ行けばいいかわからない。

「あそこがトレモントだ。そこを右折して」ウィンがようやく前方を指さしていった。「左側のあのあたり。よし、そこでとめてくれ」

その家を見るたびに、ウィンは胸が痛む。ペンキのはげた羽目板は、二階までツタにおおわれている。そこに住む女性と同様、ウィンの生家はこの五十年間、不幸ばかり見てきた。タクシーをおりると、暗い裏庭からウィンドチャイムの音がきこえてきた。彼はカフェラッテのカップをタクシーの屋根に置いてポケットをさぐり、しわくちゃの十ドル札を、運転席の窓から投げいれた。

「おいおい！　十二ドルだよ！」

「こっちこそ、おいおいだ。カーナビをつけろよ」と、ウィンはいい返した。ウィンドチャイムが快いふしぎな調べを奏でている。タクシーが急発進した拍子にカップが屋根からすべり落ち、道路にぶつかってふたがあいた。黒い舗道の上にミルク色のコーヒーが流れる。チャイムはウィンに会えたことを喜んでいるかのように、やさしい音色で鳴っている。

湿った重たい空気がかすかに動き、暗がりと木々のあいだから、そしてウィンには見えないドアや窓から、軽やかな心地よいチャイムの音が響いた。チャイムが絶えず鳴るようにしておけば、悪霊はよりつかない、と祖母は信じているのだ。「もし本当にそれが効くなら、どうしてぼくたちはこういう運命なの？」と、きいたことはない。ウィンはポケットから鍵をとりだし、玄関の錠をあけ、ドアを押しあけた。

「おばあちゃん、ぼくだよ」と、声をかける。

玄関を入ると、馬の毛をまぜた漆喰の壁に、昔と同じ家族写真やイエスの絵、十字架などが一面に飾られている。どれもほこりをかぶっている。ウィンはドアをしめて錠をおろし、見慣れた古いオークのテーブルの上に鍵を置いた。

「おばあちゃん？」

居間のテレビがついていた。ボリュームが上げてあり、サイレンの音が鳴り響いている。祖母がまた警察ドラマを観ているのだ。この前来たときより、テレビの音が大きくなっているような気がする。静かなのに慣れてしまったせいかもしれない。音のほうへ向かいながら、一抹の不安を感じた。居間はウィンの子供のころから、まったく変わっていない。ただし祖母のコレクションはふえ続けている。彼女は昔からクリスタルや天然石、猫やドラゴン、大天使ミカエルなどの置物、魔力をもつというリース、薬草の束、香などを集めており、それらがいたるところに、ぎっしり並べられている。

「おや！」と、祖母が声をあげた。『ヒル・ストリート・ブルース』の再放送に没頭していたが、ようやくウィンが入ってきたことに気づいたのだ。

「びっくりさせてごめん」ウィンはにっこりしてカウチのところへ行き、祖母の頬にキスした。

「よく来たね」祖母は彼の両手をにぎりしめた。

彼女の前のコーヒーテーブルも、クリスタルや占いに使う小間物、さまざまな石、タロットカードでおおわれている。ウィンはその上からリモコンをとりあげ、テレビを消して、いつものように祖母の様子を観察した。祖母は元気そうだった。黒い瞳はいきいきして、輝いている。かつては美しかったその顔は、目鼻立ちがはっきりしており、年のわりにしわがなく、なめらかだ。長い白髪を頭の上でたばねて、まげにしている。いつもどおり、銀の装身具をふんだんにつけていた。肘までくるほどたくさんのブレスレットに、いくつもの指輪、ネックレスだ。着ているのは何週間か前にウィンが送った、テネシー大学フットボールチームの、鮮やかなオレンジのトレーナーだ。祖母はウィンに会うときは、必ず彼があげたものを身につけている。ウィンが来るときは、わかるらしい。連絡する必要はないのだ。

「警報装置がセットされてなかったよ」ウィンはそういいながら、スポーツバッグをあけ、サワーウッドのハチミツ、バーベキューソース、キュウリのピクルスなどのびんをとりだして、コーヒーテーブルの上に置いた。

「ウィンドチャイムがあるから、大丈夫」

そのときウィンは、ファカルティクラブのクロークルームにバーボンを置いてきたことに気づいた。バーボンのことはすっかり忘れていた。ラモントも、クラブを出るときに彼がそれをもっていないことに、気づかなかった。まあ、そんなものだ。

「何をもってきてくれたの？」と、祖母がきいた。

「ウィンドチャイムを鳴らしてもらうために、セキュリティ会社に金を払ってるわけじゃないんだからね。おみやげはテネシーの特産品だ。密造ウィスキーのほうがよければ、今度はそっちにするよ」ウィンは軽口をたたいて、くたびれた椅子に腰をおろした。数年前に祖母の客が編んでくれた、紫色の毛糸の毛布がかかっている。

祖母はタロットカードを手にとっていった。「お金にまつわることって、何だい？」

「金？」ウィンは顔をしかめた。「おばあちゃん、ぼくのことを占ったりしないでくれよ」

「お金がからんでいる。ここへ来る前に、お金が関係したことを何かやっていたね」

ウィンは、ひそかに「マネー」と呼んでいるモニーク・ラモントのことを考えた。

「おまえのボスの、あの女性だね、きっと」祖母はゆっくりカードを切った。それが会話の代わりだ。やがてカウチの、自分のとなりに月のカードを置いた。「これに気をつけなさい。迷走と狂気、または詩と洞察。どちらを選ぶかは、自分しだい」

「気分はどう、おばあちゃん？　みんながもってきてくれるもの以外に、何か食べてる？」

客は占ってもらう代わりに、食べものや、自分の分に応じたさまざまなものをもってくる。

祖母は別のカードを、表向きにカウチの上に置いた。ローブをまとい、手にランタンをもった男の絵が描かれている。雨足がまた強くなり、太鼓を連打する音のようにきこえた。木の枝が窓ガラスをこすり、遠くでウィンドチャイムが激しく鳴っている。

「あの人はおまえに何の用があったんだい？」と、祖母がたずねた。「今夜は彼女といっしょにいたんだね」

「おばあちゃんは心配しなくてもいいんだよ。とにかく、おかげでここへ来られたんだから」

「あの人は位の高い巫女（みこ）のような存在で、おまえの人生に深くかかわっている。いろんな秘密をもっているようだね。とても厄介（やっかい）な秘密を」祖母はまた一枚カードをひっくりかえして、表を出した。片足で逆さまに木に吊るされた男の絵が、色あざやかに描かれている。男のポケットからは、コインがとびだしている。

「おばあちゃん」ウィンはためいきをついた。「彼女は地区検事だよ。政治家なんだ。巫女じゃないし、ぼくの人生に『深くかかわって』もいない」

「いいや、かかわっている」祖母は鋭い目で彼を見た。「ほかにもひとりいる。緋色の服を着た男が見える。フン！　こいつはフリーザーに直行させよう！」

こちらに害を及ぼすような人間への、祖母の対処法はそれだ。紙切れにその名前か人相を書いて、それをフリーザーに入れてしまう。客は、祖母の古びた冷蔵庫に自分の敵を追いやってもらうために、大枚をはたく。ウィンが最後に見たときには、フリーザーのなかはシュレッダーのダストボックスのようになっていた。そのとき、ウィンの携帯電話が振動した。上着のポケットからとりだしてディスプレー画面を見る。番号は非通知になっている。

「ちょっと失礼」ウィンは立ちあがって窓のそばへ行った。雨が窓ガラスをたたいている。

「ウィンストン・ガラーノか？」と、男の声がいった。あきらかに作り声で、下手くそなイギリス訛りだ。

「そちらは？」

「いっしょにコーヒーを飲もうと思ってね。デイヴィス・スクエアのディーゼル・カフェで。ヤク中やホモの連中がたむろする店で、遅くまであいている」

「まず、きみがだれなのか教えてもらおう」

祖母はさらにタロットカードを切り、考えこみながら、何枚かを表向きにコーヒーテーブルにならべた。カードを扱う手つきはものなれている。

「電話じゃいえないね」と、男がいった。

ふいに殺害された女性のことが、ウィンの頭に浮かんだ。青紫色にはれあがった顔、頭皮の下の大きな赤黒い血の塊（かたまり）、頭蓋骨にあいた穴、脳にくいこんだ骨のかけら、そして冷たいステンレスの解剖台に横たえられた、見るも無残な遺体。なぜ急に彼女のことを思いだしたのかわからない。それを頭から払いのけようとした。

「知らない人間とはコーヒーを飲まないことにしている。自分が何者で、何の用事で会いたいのかをいわない相手とは」

「ヴィヴィアン・フィンリー。ききおぼえがあるだろう？　おれと話がしたいはずだ」

「なぜあんたと話をする必要があるのかわからないな」祖母は落ち着きはらってカウチにすわり、カードを見ている。また一枚、表を上にして置いた。五芒星と剣の絵がついた赤と白のカードだ。

「夜中の十二時。そこで会おう」男はそういって、電話を切った。

「おばあちゃん、ちょっと出かけてくるよ」ウィンは携帯電話をポケットに戻した。強風に不吉な気分におそわれ、雨粒が飛び散る窓のそばに、しばらくたたずんでいた。強風にウィンドチャイムが耳ざわりな音をたてている。

「そいつには気をつけたほうがいいよ」祖母はまた一枚、カードを手にとっていった。

「車は動く？」

祖母はときどき車にガソリンを入れるのを忘れる。そうなると、魔力をもってしてもエンジンはかからない。

「この前乗ったときは動いたけど。この緋色の服の男はだれだろう？　わかったら教えておくれ。数に注意するんだよ」

「何の数？」

「これから出てくる数。それに注意して」

「ドアに鍵をかけてね、おばあちゃん。警報装置をセットしておくよ」

祖母の一九八九年式ビュイックは、家の裏のバスケットリングの下にとめてあった。ポールについたそのリングは、ウィンが子供のころからさびている。塗装のはげかけたビュイックには虹色のバンパーステッカーが貼られ、ネイティヴ・アメリカンのビーズのお守りがバックミラーに下げてある。エンジンはしばらく抵抗したのち、ようやく始動し、ウィンはバックのまま通りへ出た。車の向きを変えるだけのスペースがないからだ。ヘッドライトをあびて、道ばたをうろついていた犬の目が光った。

「なんてこった」ウィンは大声でいって車をとめ、外へ出た。

「ミス・ドッグ、こんなところで何してるんだ?」ずぶぬれの哀れな犬にいう。「おいで。ぼくだよ。こっちへおいで。よしよし」

ミス・ドッグはビーグルとシェパードの雑種で、耳がよくきこえず、目も悪い。ばかげた名前と、それに劣らずばかな飼い主をもつ雌犬だ。ミス・ドッグはそろそろと近づき、ウィンの手のにおいをかぎ、彼がだれかわかると、しっぽをふった。ウィンは濡れそぼった汚い犬をなで、抱きあげてフロントシートに乗せた。そして首をもんでやりながら、二ブロックほど離れた、みすぼらしい家の前まで行った。犬を抱えてその家の玄関へ行き、くりかえしドアをたたく。

ようやくなかから女性のどなる声がきこえた。「だれ?」

「またミス・ドッグをつれてきたよ!」ウィンは大声でいった。

ドアがあき、ぶかっこうなピンクのガウンを着た、太った醜い女性が顔を出した。下の歯が一本もなく、たばこのにおいをぷんぷんさせている。ポーチの明かりをつけ、まぶしい光に目を細めた。ウィンの向こうの、通りにとめてあるビュイックに視線をやる。その車にも、ウィンにも見覚えがない様子だ。ウィンがそっとミス・ドッグを下におろすと、犬は感謝のかけらも見せない、ぐうたらな飼い主のそばを離れて、一目散に家のなかにかけこんだ。

「いつもいってるだろう、ほうっておくと車にはねられるよって」ウィンはきつい調子でいった。「どういうつもりなんだ？　通りをうろついているのを見つけてつれてきてやるのは、これで何度目だ？」

「だって、しょうがないだろう。オシッコさせようと外に出すと、帰ってこないんだから。今夜はあいつが来て、ドアをあけっぱなしにしたんだ。ここへは来ちゃいけないことになってるんだけどね。あいつのせいだよ。ミス・ドッグを蹴るんだ。卑怯なやつでね。犬が出ていくように、わざとドアをあけっぱなしにする。あのばか犬が車に轢かれて死んだら、スージーが悲しむのがわかっているからさ」

「あいつって？」

「娘の亭主だよ。くそったれたやつで、何度も逮捕されているんだ」

だれのことをいっているのか、ほぼ見当はついた。その男がこの付近にいるのを見たことがある。白いピックアップトラックに乗っているようだ。

「そいつが家に近づくのを許したのか？」ウィンはきびしい口調でいった。

「許すも許さないもないだろう。あいつはこわいものなしなんだから。それに、接近禁止命令はあたしが申し立てたわけじゃないし」

「やつが前にここへ来たときに、警察を呼んだか？」

「そんなことをしても無駄だよ」

ミス・ドッグが椅子の下に入りこみ、床にはいつくばっているのが、あいたドアの先に見える。

「あの犬をぼくに売ってくれないか？」

「いくら金を積まれても、だめだよ」彼女はきっぱりいった。「かわいがってるんだから」

「五十ドル出す」

「金の問題じゃないんだ」すこしあやふやな口調になってきた。

「六十ドルでどうだ」いまウィンがもっている現金はそれだけだ。小切手帳はノックスヴィルに置いてきてしまった。

「だめだね」——といいつつ、迷っているようだ——「そんなはした金でこの犬をあたしからとりあげられると思ったら、大間違いだよ」

4

タフツ大学の学生がふたり、ウィンのテーブルのそばで玉突きをしていた。ふたりとも髪をグリーンに染め、タトゥを入れている。ウィンは苦々しい思いで彼らを見ていた。ウィンは裕福な家の出ではないし、大学進学適性試験で千六百点（満点）をとってもいない。シンフォニーを作曲したり、ロボットを作ったりもしていない。だが、あこがれの大学に入学を志願したときは、敬意を表してカーキ色のスーツと新しい靴を買い（どちらもセール品）、髪もカットした（五ドルの割引クーポンを使って）。入試事務局長が彼を大学に招いて、将来の抱負などきいてくれるかもしれないと思ったのだ。彼の夢は、父のように学者になって詩を書くか、法律家になることだった。けれども彼はキャンパス見学にも、面接にも呼ばれなかった。ウィンのもとに届いたのは、「誠に遺憾ながら……」という紋切り型の文句がならんだ手紙だけだった。

ウィンはディーゼル・カフェにいる人たちと、彼らがやっていることに目をくばり、ここで会うはずの男をさがした。二十年前にテネシーでおきた殺人事件について、その男と話すことになっている。もうすぐ夜中の十二時になる。雨はまだふっていた。ウィンは小さなテーブルでカプチーノを飲みながら、ぼさぼさ髪に汚れた服のうすぎたない学生たちが、コーヒーを手にノートパソコンに向かっているのをながめた。店の入り口にも注意を向けている。しだいに怒りがつのってきた。十二時十五分になると、憤然として立ちあがった。秀才面をした、にきびだらけのさえない若者が、不器用な手つきで球をラックに入れながら、ガールフレンドを相手に早口で声高にしゃべっている。ふたりともまわりのことは眼中にない様子だ。エフェドリンか何かで、ハイになっているのかもしれない。

「ないってば」と、女の子がいっている。「〝ソドミティカル〟なんてことばはないわよ」

「『ドリアン・グレイの肖像画』はソドミティカル、つまり極悪非道な小説だと評されたんだ」カチッ。「当時の書評でね」ストライプボールが、ごろごろ転がってポケットに入る。

「『ドリアン・グレイの肖像』だよ、天才くん。〝肖像画〟じゃなくて」ウィンはボディピアスをした、物知り顔の若者にいった。若者はキューをバトンのようにくるくる回している。「それに、その本がソドミティカルと評されたのは、オスカー・ワイルドの裁判のときだ。書評でそのことばが使われたわけじゃない」

「まあ、どっちでもいいけど」

ウィンは店を出ていこうとしたが、そのとき「ホモのあいのこ」ということばが耳に入った。

ウィンは玉突き台のところへ戻り、若者の手からキューをひったくった。「今度はぼくがブレイクする番だ」そういうなり、キューをひざに押しつけて、まっぷたつにへし折った。「さてと。ぼくに何かいった？」

「何もいっちゃいないよ！」若者は叫んだ。どんよりした目を見開いている。

ウィンは折れたキューを台の上に放り投げ、大股で入り口へ向かった。カウンターの後ろにいる女性には注意を向けない。彼女はウィンが店に入ったときから、じっと彼を見ていた。いまは大ぶりのコーヒーカップに蒸気を噴射している。ウィンがドアに手をかけようとしたとき、女性は「あの、ちょっと」と、呼びかけた。「お客さん」と、エスプレッソマシンの音にかき消されないよう、声をあげていう。

ウィンはカウンターへ行った。「心配しなくていいよ。ちゃんと弁償するから」そういって、札入れからお札を何枚かとりだした。

女性は玉突き場でのウィンの狼藉(ろうぜき)をとがめる気はないらしく、「あなたはジェロニモ刑事？」ときいた。

「どこでそんな名前をきいたんだ？」

「つまりそうだってことね」彼女はカウンターの下に手をのばして封筒をとりだし、彼にわたした。「さっき男の人が来て、あなたが帰るときにこれをわたしてくれとたのんでいったの」

「さっきって、いつごろ？」ウィンはまわりに気をくばりながら、封筒をポケットに入れた。

「二、三時間前かしら」

すると、わざとらしい訛りのある男は、手紙をここへ置いてからウィンに電話をかけたことになる。最初から会うつもりなどなかったのだ。

「どんな男だった？」

「とくに目立つ点はなかったわ。かなりの年に見えたわね。色めがねに丈の長いトレンチコートを着ていた。それにマフラーをしていたわ」

「この季節にマフラー？」

「つやのある、シルクみたいな生地で、色は緋色かな」

「なるほど」緋色の男。祖母のいったとおりだ。

ウィンは雨のなかへ出ていった。湿気がまとわりつくようで不快だ。サマー・ストリートのローズバッド・ダイナーの前の、黒いヒレがつきだしたような大きな物体が祖母の車だ。ウィンは緋色の男がこちらをうかがっているのではないかと、あたりを見まわしながら濡れた舗道を歩いた。車の鍵をあけ、グローブボックスから懐中電灯と、ダンキンドーナツでもらった紙ナプキンの束をとりだした。ナプキンを何枚か手に巻きつけ、ステアリングコラムにぶらさがっているキーで封筒の口を裂いてあけた。なかには折りたたんだ紙が入っていた。罫(けい)の入ったその紙に、活字体できちんと書かれた黒インクの文字を読んだ。

「危機を回避する必要があるのはおまえだぞ、混血野郎」

ウィンはラモントの自宅に電話した。だれも出ない。携帯電話にかけたが、やはり出ない。伝言を残さずに切った。だが気を変えてもう一度かけた。今度はラモントが出た。

「もしもし?」いつもとちがって、声に元気がない。

「どういうことなのか、教えてもらおうじゃないか!」エンジンをかけながらいった。

「わたしに腹を立てないで」ラモントは妙なことをいった。緊張した声だ。何かおかしい。

「ついさっき、わざとらしい訛りのある、イカれた男が、フィンリー事件のことで電話してきた。偶然にもね。なぜかそいつは、ぼくの携帯電話の番号を知っていた。それも驚くべき偶然だよな。そいつはぼくに会いたいといっておきながら、結局あらわれず、脅迫めいた手紙だけ置いていった。いったいきみはだれと話をしたんだ？　プレスリリースでも出したのか……？」

「今朝ね」と、ラモントは答えた。後ろで押し殺したような男の声がきこえたが、何といったのかわからない。

「今朝？　ぼくがまだボストンへ来てもいないのに！　どうしてそのことをいわなかったんだ？」ウィンは大声をあげた。

「いいのよ」ラモントはあいかわらず脈絡のないことをいう。

「よくはないだろう！」

ラモントのそばにいる人物——男性、それも午前一時近い時刻に——が何かいい、

彼女は突然電話を切った。ウィンは祖母の古びたビュイックの暗い座席にすわり、紙

ナプキンを巻いた手にもった罫線紙を見つめた。動悸が激しくなり、首筋のあたりでどくどく脈打っている。ラモントはウィンに託した事件のことをメディアに発表した。彼の許可も得ずに。しかも発表したことを黙っていた。勝手に「危機回避」してろ。

やめた。

そういってやったら、彼女はどうするだろう。

もうやめた！

ラモントがどこにいるのか、見当がつかない。自宅の電話には出ず、携帯電話に出たことを考えると、家にはいないだろう。だが絶対にいないとはいいきれない。念のためケンブリッジにある彼女の自宅のそばを、車で通ってみよう。もしかすると家にいるかもしれない。だれといっしょだろうと、かまやしない。ラモントはどんな男と寝るのだろう？　彼女は支配欲が強く、セックスはきらいというタイプだろうか？　それともその逆？　ひょっとすると恋人を骨までしゃぶりつくす、ピラニアのような女かもしれない。

彼は轟音とともに車を発進させた。濡れた舗道の上でタイヤが横すべりし――いまいましい後輪駆動のおかげで――テールフィンが左右に揺れる。ワイパーがフロントガラスにこすれて大きな音をたてるのが、かんにさわった。ただでさえむしゃくしゃしている。正気の人間なら避けてとおるような、とんでもないことにかかわってしまった自分を責めているのだ。ボストンへ戻ることを拒否して、テネシーにいればよかった。こんな時間にサイクスに電話するべきではない。無作法だ。そう思いつつ、いつも電話してしまう。彼女は許してくれる。どんな時間でも気にしない。サイクスの電話番号をダイアルしながら、今日が火曜日だったことを思いだした。火曜日の深夜、これぐらいの時間にはいつもサイクスといっしょにすごす。ふたりともプレッピー風の格好をして、フォーティ・シックス・トゥエンティでジャズをきき、フルーツマティーニを飲みながら話をする。

「よお、べっぴんさん」と、ウィンはいった。「ぶっ殺さないでくれよ」

「たまに眠れたときにかぎってかけてくるんだから」と、サイクスはいった。彼女はテネシー州捜査局（TBI）の捜査官だが、不眠に悩んでいる。このところ、ホルモンのバランスがすっかり崩れているのだ。

サイクスはベッドの上におきあがった。明かりをつけるまでもない。この六週間、彼女はウィンと電話で何時間も話している。いつも暗い部屋で、ひとりでベッドに入って話す。暗いなか、彼とベッドで直接話すのはどんな気分だろう、と考える。壁ごしにルームメートの動静に聞き耳をたてた。おこしてしまったら悪いと思ったのだ。皮肉なことに、ウィンを車でノックスヴィル空港へ送ったとき、「これでやっとルームメートたちも安眠できるわ」と、彼にいった。全米法医学アカデミーでの研修をはじめて以来、彼女とウィンは毎晩遅くまでしゃべっている。学生用宿舎は壁がうすいので、彼らのルームメートは甚大な被害をこうむっているはずだった。

「あたしが恋しいんでしょう」と、サイクスはいった。冗談だが、本当ならいいのにと思っている。

「頼みたいことがあるんだ」

「どうかしたの？」サイクスはスタンドの明かりをつけた。

「いや、大丈夫だよ」

「あまり大丈夫じゃなさそうね。どうしたの？」彼女はベッドをおり、ドレッサーの上の鏡をのぞきこんだ。

「あのね。二十年前、ノックスヴィルで年配の女性が殺された。名前はヴィヴィアン・フィンリー。場所はセコイア・ヒルズだ」

「なぜ急にその事件に興味をもったのかを、まず話してよ」

「妙なことがおきているんだ。きみはそのころテネシーにいただろう。その事件のことをおぼえていないか？」

たしかにサイクスはテネシーにいた。また自分の年のことを思いだす。鏡に映った自分の姿をながめた。色がうすくなったブロンドの髪があちこち突っ立っている。

「アマデウスみたいだな」と、いつかウィンがいった。「あの映画を観ていればわかるよ」と。彼女は観ていなかった。

「うっすらとおぼえているわ。金持ちの未亡人の家に、だれかが押し入ったのよね。セコイア・ヒルズで、しかも白昼にそんなことがおこるなんて、信じられないけど」

この時間には、鏡はとくに無情だ。目がはれぼったい。ビールの飲みすぎだ。ウィンがなぜ自分をこんなに気に入っているのか、サイクスにはわからない。彼の目にうつっているのは、ちがう自分なのだろうか。もしかするとウィンは二十年前の彼女の面影を見ているのかもしれない。なめらかな肌と大きな青い目。ひきしまった丸いおしりに、ツンと上を向いたおっぱい。そのころの彼女は、重力をものともしないボディの持ち主だった。しかし四十をすぎたころから、重力がしっぺがえしをしはじめた。

「事件当時の警察のファイルがほしいんだ」と、ウィンがいっている。

「ケースナンバーはわかる？」

「検屍のケースナンバーしかわからない。それも、いまのところあるのはマイクロフィルムのプリントアウトだけで、現場写真も何もない。検屍記録のファイルも手に入れたいんだ。どこかにまぎれてしまっているかもしれないけど。モルグが移転したそうだから。すくなくともラモントはそういっていた。それが正しいとすれば」

またあの人のことね。「そう、移転したのよ。ええと、じゃ順番に行きましょうよ」サイクスはいらだってきた。「まず、警察のファイルがほしいわけね」

「どうしても必要なんだよ、サイクス」

「じゃ、明日の朝一番にさがすわ」

「それまで待てないんだ。事件についていますぐ調べて、わかったことをメールしてくれ」

「こんな時間にだれが手を貸してくれるっていうの？」サイクスはもうクローゼットの戸をあけて、青いカーゴパンツをハンガーからはずしている。

「アカデミーだ。トムに電話しろ。たたきおこすんだ」

ウィンはマウント・オーバーン病院のほうへ向かって、東へ車を飛ばした。ブラトル・ストリートからわき道へ入り、モニーク・ラモントの家をめざす。彼女の夜をめちゃめちゃにしてやるのだ。

もうこの仕事はやめた。

TBIかFBIにでも入ろうか。いっとくけどね、モニーク、ぼくはこんなふうに振りまわされるつもりはないからね。

もうやめた。

それならなぜこんな真夜中に、サイクスを応援にかりだしたんだ？　ウィンの脳のべつの部分が彼にきく。ちょっとした言葉のあやだ。ラモントのために働くのをやめたからといって、ヴィヴィアン・フィンリー事件から手を引くわけではない。いまや、ことは個人的な色彩をおびてきた。緋色のマフラーを身につけた男に侮辱されたのだ。黙って引きさがるわけにはいかない。ウィンは交差点をつっきった。一時停止の標識のところでもスピードをゆるめない。消防署のそばで左折し、細い通りに入った。ラモントはここに住んでいる。約千二百坪の細長い土地に立つ、薄い紫色の家だ。十九世紀に建てられた、クイーン・アン様式のその邸(やしき)は、所有者と同様に派手で、手がこんでいて、近寄りがたい感じだ。敷地にはサルスベリやカシ、カバノキがうっそうと茂っている。黒々としたそれらの木が風にゆれ、枝や葉から水がしたたっている。

ウィンは正面に車をとめ、ヘッドライトを消してエンジンを切った。フロントポーチのライトはついていない。敷地のなかはまっ暗だ。明かりがともっている窓がひとつだけある。玄関の左側の、二階の窓だ。ウィンはまた例の不吉な気分におそわれた。ラモントのレンジローヴァーは、丸石敷きの私道にとめてある。それを見ると、ますます変な気がした。ラモントが家にいないとしたら、だれかが迎えにきたのだろうか。いいじゃないか。彼女はだれだって手に入れられるのだから。本日のデートの相手が迎えにきて、自分の家にでもつれていったのだろう。結構なことだ。しかしそう思っても妙な気分は消えない。もしデートの相手が彼女といっしょに家のなかにいるとしたら、その男の車はどこにあるのだ？　自宅の電話にかけると、留守電になっている。携帯電話にかけたが、出ない。もう一度かけたが、やはり出ない。

緋色のマフラーをした男がウィンを駆けずりまわらせ、笑いものにし、脅し、あざけっている。やつは何者なのだろう？　新聞にどんな記事がのるのか気がかりだった。もしかするとラモントのばかげたプレスリリースはすでにサイバースペースを駆けめぐり、インターネットのありとあらゆるサイトにとりこまれているのかもしれない。緋色のマフラーの男は、そこから「危機回避」とウィンのことを知ったのだろうか？　だがどうも腑に落ちない。ウィンが知るかぎりでは、ヴィヴィアン・フィンリーはニューイングランドの出身ではない。なぜニューイングランドにいる男が彼女の事件に興味をもち、わざわざウィンに電話し、会う約束をしてそれをすっぽかし、彼をあざけるようなまねをしたのだろう？

ウィンはあいかわらずラモントの家と、木が生い茂る敷地を見つめている。通りのあちこちにも目をやった。何をさがしているのか、自分でもわからない。懐中電灯をつかみ、祖母の古色蒼然とした車をおりた。あたりに目をくばり、耳をすます。何かがおかしい。いや、おかしいというより、何かよからぬことがおきているような気がする。気持ちが動揺しているから、そう感じるだけだろうか。子供のころ、怪物や悪人やおそろしいこと、死について想像するとぞっとして、不吉な予感がしたものだが、それと同じかもしれない。そうした予感をおぼえるのは、「そういう血筋だからだよ」と、祖母はよくいっていた。いまは銃をもっていない。れんが敷きの小道を歩いてフロントポーチへ行き、階段をのぼった。あたりを見まわし、何か物音がしないか注意する。どうやら自分が不安に思っているのは、ラモントのことらしいと気づいた。

彼女はウィンの行動を喜ばないだろう。もしだれかといっしょだったら、ただではすまない。ドアベルを鳴らそうと手をのばし、上を見た。ちょうどそのとき、頭上の明かりのついた窓の、閉じたカーテンの向こうを人影がよぎった。ウィンは窓を見上げて、待った。ドアの左手にある真鍮（しんちゅう）の郵便受けを懐中電灯で照らし、ふたをあけた。ラモントは帰宅したとき郵便をとらなかったようだ。キーボックスがある、と彼女がいっていたことを思いだしたが、それらしいものは見当たらない。

家の裏手へまわった。木の葉から大粒の冷たい水滴がたれて、ウィンの頭のてっぺんにあたる。あたりは木が密生しており、まっ暗だ。ドアのところに、あいたキーボックスが見えた。鍵が鍵穴にさしこまれたままで、ドアがすこしあいている。ウィンは足をとめて周囲を見まわした。水滴がしたたる音をききながら、懐中電灯で木や茂みを照らす。光を手前に向けたとき、二本のツゲの木のあいだに暗赤色のものが見えた。ガソリンの携行缶だ。上にぼろ布がのせてある。雨で濡れているが、汚れてはいない。胸がどきどきしてきた。音をたてないようにキッチンへ入る。ますます動悸（どうき）がはやくなった。ラモントの声がきこえた。ついで男性の声。怒気をふくんだ声だ。二階からきこえてくる。玄関の上の、明かりのともった窓のある部屋だ。

木の階段を三段ずつ駆けのぼり、廊下を横切った。階段も廊下もきしんで音をたてる。あいたドアから、ベッドにいるラモントが見えた。全裸でベッドポストに縛りつけられている。Tシャツにジーンズ姿の男がベッドのはしに腰かけ、ピストルで彼女をなでている。

「いえよ。わたしは娼婦です、と」

「わたしは娼婦です」ラモントはふるえ声でいった。「おねがい、やめて」

ベッドの左側に窓がある。カーテンはしまっている。床の上にラモントの服が散らばっていた。数時間前、食事のときに着ていたスーツだ。

「わたしは汚らわしい娼婦です。そういえ！」

天井を見ると、赤、青、緑の花が描かれた、工芸ガラスの大きなシャンデリアが下がっている。ウィンはそれに懐中電灯を投げつけた。シャンデリアは砕けて、ゆれた。男はベッドからはねおき、こちらを向いた。ウィンは男の手首をつかみ、ピストルをもぎとろうとした。男の息が顔にかかる。ニンニクくさい息だ。ピストルが発射された。弾はウィンの頭をかすめて、天井にあたった。

「はなせ！　はなすんだ！」

耳鳴りがして、自分の声が小さく、遠くからきこえてくるように感じられる。もみあっているあいだに、ピストルが何度も発射された。突然、ピストルを握っている男の手から力がぬけた。ウィンはピストルをつかみ、男を突きはなした。男は床にくずおれた。頭から血がふきだし、硬材の床にたまっていく。男は血を流しながらベッドの脇の床に横たわり、動かなくなった。ヒスパニックとおぼしき若い男だ。まだ十代かもしれない。

ウィンはふとんをひっぱりあげてラモントにかけた。「大丈夫。もう安心だ。大丈夫だよ」そうくりかえしながら、彼女をベッドポストに縛りつけている電気コードをほどく。携帯電話で九一一番にかけているあいだに、ラモントはおきあがった。ふとんを体に巻きつけ、狂気じみた目をしてがたがたふるえながら、あえいでいる。

「どうしよう。ああ、どうしよう！」彼女は金切り声をあげた。

「大丈夫。大丈夫だよ。もう心配ない」ウィンはそのそばに立ち、まわりに目をくばりながら、床の上の男を見た。血と、血まみれになった工芸ガラスの色あざやかな破片が、一面に飛び散っている。

「こいつだけか？」ウィンはラモントに向かってどなった。心臓が激しく打ち、耳がじんとしている。ピストルをかまえ、あたりに視線を走らせた。「ほかにだれかいるのか？」と、大声できく。

ラモントは首を横にふった。呼吸が浅く、速い。顔は蒼白で、目がどんよりしている。気絶しかけているのだ。

「ゆっくり、深く息をして、モニーク」ウィンはスーツの上着を脱いで彼女にもたせ、手をそえてそれを顔の前にもちあげさせた。「大丈夫だよ。これを紙袋だと思って、このなかに息を吐くんだ。そう、その調子。ゆっくり深呼吸して。もう安心だよ」

5

モニーク・ラモントは診察着姿で、マウント・オーバーン病院の診察室にいた。病院は自宅からわずか数ブロックのところにある。

診察室はどことといって特徴のない部屋だ。壁は白く、足台のついた婦人科用の診察台とカウンター、シンク、医薬品や綿棒、検鏡などがぎっしり入ったキャビネットと手術用ランプが備えてある。すこし前まで、性犯罪被害者を担当するナースがひとり、ラモントといっしょにこの部屋にいた。ナースはこの有力な地区検事の体の開口部や陰部を調べ、唾液や精液を採取し、毛や爪の内容物をとり、傷がないか調べ、写真をとり、証拠となる可能性のあるものを集めた。ラモントは驚くほど、というより、異様なほど落ち着いて地区検事としての自分の役割を演じ、自分自身の事件の捜査に協力していた。

ラモントは白い紙でおおわれた診察台の脇の白いプラスチックの椅子にすわり、その向かいのスツールにウィンが腰かけている。マサチューセッツ州警察のべつの捜査官、サミーが閉じたドアのそばに立っていた。ラモントはもっと快適な環境、たとえば自宅で事情聴取を受けることもできたが、それを断った。事件に関連した会話や活動は、それにふさわしい限られた場所だけにとどめておこうという、冷静かつ客観的な判断をしたのだ。彼女は二度と自分のベッドルームで寝るつもりはないのだろう、とウィンは思った。あの家を売ってしまったとしても驚かない。

「彼についてわかっていることは？」ラモントはまたたずねた。検察官そのものの口調だ。ついさっきおこったことについて、何らの感情ももっていないように見える。ラモントを襲った犯人は危篤状態にあった。ウィンは彼女に何を話すべきか、慎重に考えた。これはきわめて珍しい状況だ。ラモントは州警察に対して知りたいことを何でもたずね、その答えを得ることに慣れている。地区検事として彼女は采配をふる立場にある。情報の提供を求め、それを手に入れるのがあたりまえだった。

「ミズ・ラモント」サミーが遠慮がちにいった。「ご存じのように、やつは銃をもっていた。それでウィンはやるべきことをやった。やむをえない状況でした」

だがラモントがきいたのはそのことではない。彼女はウィンを見た。わずか数時間前、裸でベッドに縛りつけられた姿を見られているにもかかわらず、ひるまず彼と目をあわせる。

「あの男についてどんなことがわかっているの？」質問ではなく、命令だ。

「わかっているのは、ひとつだけだ」と、ウィンはいった。「彼は二ヵ月ほど前、地区検察局に起訴され少年裁判所で裁かれている」

「どんな罪状で？」

「マリファナとコカインの所持。例によって大甘のレイン判事は、彼を訓戒しただけだ」

「そのときの検察官はわたしではないわ。見たことのない顔だったもの。ほかには？」

「こうしよう。まずぼくたちの仕事をやらせてくれ。そのあと、話せることは何でも話すよ」

「だめよ。話せること、ではなくて、わたしがきいたことを話すのよ」

「とにかく、いまは……」ウィンはいいかけた。

「情報がほしいのよ」彼女は強い調子でいった。

「ひとつききたいんですが」ふたりから離れた壁際に立っているサミーがいった。「昨晩、帰宅する前後にどんなことがあったのかを」

血色のよい顔にきびしい表情をうかべている。その目に何らかの感情が見てとれる。気恥ずかしさだろうか。地区検事があのような目にあったあとで彼女から事情をきくのは、のぞき趣味のような気がするのかもしれない。ラモントは彼のほうを見ようともせず、質問も無視した。

「あなたと夕食をいっしょにしたわね」と、彼女はウィンにいった。「それから自分の車でオフィスへ戻って、残っていた仕事を片づけて、まっすぐ家へ帰ったわ。鍵が見つからなかったので、家の裏へまわり、キーボックスに暗証番号を入れてスペアキーをとりだした。裏口の戸をあけようとしているとき、突然だれかに手で口をふさがれた。姿は見えなかったけど、その人物が『声をあげたら殺すぞ』といった。そしてわたしを家のなかへ押しいれた」

ラモントはよどみなく事実を語った。彼女を襲った犯人はロジャー・バプティスタという男であることが、すでに判明していた。住所はイースト・ケンブリッジの、ラモントが勤務する裁判所ビルからさほど遠くないところだ。バプティスタはラモントを二階の寝室へつれていき、ランプやタイマー付きラジオからコードをひきぬいた。そのとき、家の電話が鳴った。出ずにいると、携帯電話が鳴った。ラモントはそれにも出なかった。

電話したのはウィンだ。

そのうち、また携帯電話が鳴った。ラモントはとっさに、ボーイフレンドからの電話だ、といった。心配しているようだ、ここへやってくるかもしれない。そういうと、バプティスタは電話に出るよう彼女に命じた。「おかしなまねをしたら、頭をふっとばすぞ。ボーイフレンドも殺す。みんな殺してやる」と、彼はいった。そこでラモントは電話に出て、ウィンと短い、とんちんかんな会話をかわした。電話を切ると、バプティスタは服を脱ぐように命じ、ベッドポストにラモントを縛りつけた。そして彼女をレイプし、自分はまた服を身につけた。

「どうして抵抗しなかったんですか?」サミーが精いっぱい気をつかいながらきいた。

「相手は銃をもっていたのよ」ラモントはウィンを見た。「抵抗したら、それを使うにきまっている。たぶん、どっちにしても使うつもりだろうと思った。わたしに用がなくなったらね。それでなんとか事態を打開しようとした」

「どういうこと?」ウィンがきく。

ラモントはためらい、視線をそらせていった。「つまり、好きなようにやって、と彼にいったの。恐怖や嫌悪を感じていないふりをして。彼のいうとおりにしたし、いえといわれたことをいった」そこで口ごもる。「なるべく落ち着いて、穏やかに。あの状況のもとで可能なかぎりね。それで、あの、縛る必要はない、と彼にいったわ。あしょっちゅうこういう事件を扱っているから、よくわかっている。気持ちはわかるって。それで、その……」

ことばが途切れたあと、狭い部屋のなかは静まりかえった。ラモントが顔を赤らめるのを見るのは、ウィンにとってはじめてだった。バプティスタを押しとどめ、落ち着かせ、なんとか命を永らえさせてもらうために、彼女がどんなことをしたのか、わかるような気がした。

「こっちもそれを望んでいるようなふりをしたのでは？」と、サミーがいう。「女性はよくそうする。いやがってはいない、むしろ喜んでいる、とレイプ犯に思わせる。イッたふりをしたり、また来て、とたのんだりすることもある。デートか何かのように……」

「出ていって！」ラモントは彼に指をつきつけてどなった。「出ていってちょうだい！」

「ぼくはただ……」

「きこえたでしょう？」

サミーは部屋を出ていき、ウィンは彼女とふたりきりになった。できれば避けたい状況だ。ウィンが加害者に重傷を負わせたことを考えると、だれかの立ち会いのもとでラモントから話をきくほうが賢明だった。

「あのくそ野郎はだれなの？」と、ラモントがきいた。「何者？　わたしの鍵が魔法のように消えてしまった、まさにその夜に彼がうちにやってきたのは、偶然だと思う？　あいつはいったいだれなの？」

「ロジャー・バプティスタという……」

「わたしがきいているのは、そんなことじゃないわ」

「その鍵を最後に見たのはいつ？」と、ウィンはきいた。「今朝、仕事に出かけるとき、それで家に鍵をかけたの？　今朝というより、もう昨日の朝だけど」

「いいえ」

「そうじゃないのか？」

ラモントは一瞬黙ってから、いった。「その夜は家に帰らなかったの」

「どこにいたんだ？」

「友人のところ。朝、そこから出勤したの。仕事が終わってからあなたと食事をして、いったんオフィスへ寄った。それから帰宅した」

「だれのところに泊まったのか、きかせてもらえる？」

「だめよ」

「ぼくはただ……」

「罪を犯したのはわたしじゃないのよ」ラモントは冷ややかに彼を見つめた。

「モニーク、スペアキーで家のドアをあけたとき、警報装置はセットしてあったはずだ」ウィンは鋭くいった。「ドアの鍵をあけようとしているとき、バプティスタに手で口をふさがれたということだね。そのあと、警報装置はどうなった？」

「解除しないと殺すといわれたの」

「ひそかに警察に通報する緊急用暗証番号があるのでは？」

「もう、いい加減にしてよ。わたしと同じような目にあったとき、そんなことを考えつくと思う？　頭の後ろに銃を押しつけられていたら、セキュリティ対策のことなんか、どっかへふっとんでしまうわよ」

「お宅の裏口のそばの茂みに、ガソリン缶とぼろ布が置いてあったけど、そのことは知っている？」

「あなたと大事な話をする必要がありそうね」と、彼女はいった。

サイクスは私用車の青い七九年式V W（フォルクスワーゲン）ラビットを運転して、オールド・シティ、つまり歴史のあるノックスヴィルのダウンタウンを走っている。

バーリーズ・タップルーム＆ピッツェリア、トニック・グリル、そして建設現場のそばをとおりすぎた。店はどちらもひと気がなく、まっ暗だ。建設現場では工事が中断されていた。掘削機が骨を掘りおこしたためだが、それは牛の骨であることがその後判明した。その敷地には昔、食肉処理場と家畜収容所があったのだ。目的地に近づくにつれ、サイクスの不安感――「びくつき」と、彼女は呼んでいる――は強くなっていった。ヴィヴィアン・フィンリー殺害事件の記録をすぐにさがしてくれというウィンの要求が、本当に緊急なものであることを祈った。なにしろアカデミーの所長、ついでノックスヴィル警察の署長、それから捜査課と記録課の課員たち数人をおこさなければならなかったのだ。しかし結局めざすファイルは見つからず、ケースナンバーがKPD八九三－八五であることがわかっただけだった。

いちばん不愉快な思いをしたのは、最後に元刑事、ジミー・バーバーの未亡人をおこしたときだ。酩酊しているとおぼしき彼女に、亡くなったご主人が退職して本署の自分の部屋をひきはらったとき、古いファイルや書類、記録類などをどうしたかご存じかとたずねた。「あのがらくたはみんな地下室にほうりこんであるわ。あそこに何か隠してあるとでも思ってんの？　行方不明のジミー・ホッ……ホフラでも？　それとも例のダ・ヴィンシー・コードか何か？」

「お邪魔して本当に申しわけありませんけど、古い記録をさがしているんです」サイクスはことばに気をつけながらいった。ウィンの口ぶりでは、何か尋常でないことがおこっているらしかった。それを意識している。

「あんたたち、いったい何を血迷ってんの？」ミセス・バーバーは電話口で文句をいった。「朝の三時なのよ！」

敵意をむきだしにして、まわらない舌でさかんに毒づく。

町はずれの、地元の人がショートウエスト・ノックスヴィルと呼んでいるあたりでは、しだいに戸建て住宅がすくなくなり、公営アパート群が出現する。そこをすぎて、ダウンタウンから三キロほど西の地域まで来ると、あたりの雰囲気はわずかながら上向いてくる。サイクスは屋根の勾配のゆるい、小さな平屋の前に車をとめた。外壁はサイディング張りで、庭は荒れほうだいだ。通りの近くには、空のごみ容器がいくつか、無造作に置かれている。ミセス・バーバーが不精をして、それらを家にもち帰らずにいるらしい。この界隈には街灯がほとんどなく、改造した派手なオールドカーがあちこちにとまっている。キャデラック、紫色に塗ったリンカーン、回転ディスクつきの妙なハブキャップをはめたコルヴェットなどだ。ヤクの売人ややくざな若者といった、ろくでもない連中の俗悪な車だ。サイクスは上着の下のショルダーホルスターに入れた、四〇口径のグロックを意識した。歩道を歩いて、ドアベルを押す。すぐにポーチの明かりがついた。

「だれ？」ドアの向こうから、ろれつのまわらない声がする。

「テネシー州捜査局の捜査官、サイクスです」

ドアチェーンが音をたて、鍵がカチッとあいた。

ドアが開き、髪をブロンドに染めた安っぽい感じの女性が顔をのぞかせた。目の下にメイクがにじんでいる。彼女はサイクスがなかに入れるよう、脇へどいた。

「ミセス・バーバー」サイクスはていねいにいった。「ご協力いただいて……」

「なんでこんなに大騒ぎするのかわかんないけど、どうぞ」彼女は部屋着のボタンをかけちがえていた。目は充血し、酒のにおいをさせている。「地下室はあっちよ」と、あごで示し、おぼつかない手つきでまたドアの鍵をしめた。ひどく鼻にかかった大きな声でしゃべる。「気がすむまでひっかきまわせばいい。なんならあのがらくたを全部トラックに積みこんで、もってってもいいわよ」

「トラックに積みこむ必要はないんです。ご主人が部署に置いていた可能性のある、事件のファイルに目をとおしたいだけなので」

「あたしは寝なおすからね」と、ミセス・バーバーはいった。

ラモントは自分がいまどこにいるのか忘れているようだ。

ひょっとして妄想をいだいているのでは、とウィンは疑った。自分の広々したオフィスでみごとなガラスのコレクションに囲まれ、高価なデザイナースーツを着て、どっしりしたガラスのデスクの前にすわっていると思っているのかもしれない。実際は診察着を着て、病院の診察室でプラスチックの椅子にすわっている。だが彼女はいつもと同じようにふるまっていた。世間を騒がせている事件、紛糾してメディアに派手にとりあげられそうな犯罪について、ウィンと話しあっているかのようだ。

「わたしのいうことをきいてるの？」ラモントがウィンにいったとき、閉じたドアをだれかがノックした。

「はい」ウィンは立ちあがって、ドアをあけた。

サミーが頭だけつっこみ、小声で「ちょっと」といった。

ウィンは廊下に出て、後ろ手にドアをしめた。サミーは今朝の『ボストングローブ』紙のローカル版を彼にわたした。一面のトップに、つぎのような大見出しが躍っている。

あらゆる犯罪。時代を問わず。
地区検事、昔の殺人事件解決のため

宇宙時代の科学技術を動員

「知らせたいことが四つある」と、サミーがいった。「一つめ。この記事にはきみの名前がやたらに出てくる。知事の秘蔵の事件を、きみがどんなふうに解決するべきかが、事細かに書いてあるんだ。いや、正確にいうと、彼女の秘蔵の事件だな」そういって閉じたドアに目をやる。「知事が彼女に委任したんだから。二つめ。犯人がまだ逃亡中で、この無責任な記事を読む可能性もある。健闘を祈るよ。三つめ。これも悪いニュースだ」

「何だ？」

「ついさっき、バプティスタが死んだ。当然ながら、もう彼の供述は得られないわけだ。三つめ。バプティスタが着ていた服を調べたところ、ズボンの後ろポケットに百ドル札で千ドル入っているのを見つけた」

「ばらで？　たたんで？」

「何も書いてない白い封筒に入っていた。紙幣は新しいようだ。ぴん札だな。折りじわも何もない。自宅にいるヒューバーに電話した。研究所のほうですぐそれを検査して、指紋を調べるそうだ」

「四つめは?」

「マスコミの連中がかぎつけた……」サミーは閉じたドアのほうを、またあごで示した。「テレビ局のトラックが三台。それにレポーターがわんさと駐車場に集まっている。まだ夜もあけていないというのに」

ウィンは診察室へ戻り、ドアをしめた。

ラモントはさっきと同じプラスチックの椅子にすわっている。ウィンはふと気がついた。彼女には着るものがない。病院へつれてくるときに着ていたウォームアップスーツを、また身につけないかぎり。襲われたあと、彼女はシャワーを浴びるわけにはいかなかった。ウィンが注意するまでもなく、本人も事態への対応のしかたを心得ていた。彼女はいまだにシャワーを浴びていない。そのことをもちだすのは、さすがにウィンも気がひけた。

「マスコミにもれたようだ」彼はまたスツールに腰かけていった。「やつらに包囲されないように、あなたをここからつれ出す必要がある。まだ自宅へは戻れない。それはわかっているね」

「あいつは家を燃やすつもりだったんだわ」

ガソリン缶は満杯だった。庭の手入れをする作業員が置いていったのではないことは、確かだった。

「わたしを殺して、家を燃やすつもりだったのよ」しっかりした声だ。この事件を扱う地区検事として、べつの被害者のことを話しているかのようだ。「なぜか？　わたしが事故死したように見せかけるため。自宅で焼け死んだように。あいつは初心者ではないわね」

「でも彼がそのシナリオを考えたとはかぎらない。だれかが指示したのかもしれない。いずれにしても、燃やすことで殺人を隠蔽（いんぺい）するのは、むずかしい。検屍で軟組織の傷や弾丸、軟骨や骨の損傷が見つかることが多いから。ふつうの家屋の火事では、遺体は完全には焼失しない。それはあなたも知っているはずだ」

ウィンはバプティスタのポケットに入っていた金のことを考えた。ラモントにはまだそのことを話さないほうがいいような気がした。

「ここにいてちょうだい」ラモントは体に巻きつけた毛布を握りしめている。「テネシーの、あの何とかいう女性のことはもういいわ。この事件の裏にだれがいるのか、調べなきゃ。あんなチンピラではなく……あいつをそそのかした人物がいるかもしれない」

「ヒューバーがもう研究所を動員して……」

「彼はどうしてこのことを知っているの?」ラモントは早口でいった。「わたしは何も話して……」急に口をつぐみ、目を見開く。「罰を受けさせなきゃ」またバプティスタのことに話が戻っている。「この事件は絶対に……これはあなたが担当してちょうだい。あいつを葬ってやるのよ」

ウィンは駄洒落(だじゃれ)をいいそうになるのを抑えた。「モニーク、彼は死んだそうだ」

ラモントは動じる様子を見せない。

「正当だろうとなかろうと、もみあった末だろうと、ぼくが殺したことに変わりはない。あれはやむをえない行為だった。しかし今後どうなるかはわかるだろう?　あの件をあなたのところで調査するわけにはいかない。べつの地区検事局に委任するか、ボストン警察の殺人捜査課に協力を要請せざるをえない。むろん内務監査部も事情を調べるだろう。検屍や、ありとあらゆる検査もおこなわれる。ぼくは当分、庶務の仕事をやらされることになる」

「すぐこの事件にかかってほしいの」

「心のケアのための休日もなしで?　きびしいな」

「ストレスコントロールの連中と、ビールでも二、三杯やれば大丈夫よ。〝心のケア〟のことなんか、もうききたくないわ」いまや顔が青ざめ、目には強い憎しみがこもっている。まるで彼女を襲ったのはウィンだといわんばかりだ。「わたしだってそんな休日はとらないのよ。あなたにだって必要ないわよ、そんなもの」

ラモントの態度の変化はあまりに急激で、とまどいをおぼえるほどだ。

「おこったことの重大さを、ちゃんと把握していないんじゃないかな」と、ウィンはいった。「何度も経験しているよ、ほかの被害者で」

「わたしは被害者ではない。苦痛を与えられただけ」突然、ラモントはふたたび地区検事、策士、そして政治家に戻った。「この事件は慎重に扱う必要があるわ。扱いかたをまちがえたら、わたしは何と呼ばれることになると思う？　レイプされた知事候補よ」

ウィンは黙っている。

「あらゆる犯罪。時代を問わず。わたしの事件も含めて」と、ラモントはいった。

6

モニークは白い毛布を体に巻きつけて、診察室のまんなかに立っている。

「ここからつれ出して。あなたもいっしょに」と、ウィンにいった。

「いっしょには無理だ。ぼくがかかわることはできない……」

「あなたにこの事件を担当してほしいの。いっしょに来てちょうだい」ラモントは平然とした、無表情な顔をしている。「ここからつれ出して。安全だと確信がもてるまで、わたしといっしょにいて。事件の裏にだれがひそんでいるか、わからないんだから。身の安全を確保したいの」

「安全は確保する。でもぼくがあなたを守るわけにはいかない」

ラモントは彼を見つめた。

「この事件は、ほかの人間に捜査させる必要があるんだ、モニーク。容疑者を殺してしまったのに、何事もなかったように仕事を続けることはできない」

「いいえ、できるわ。いうとおりにしてちょうだい」

「まさか本当にぼくがあなたのボディガードになることを期待しているわけじゃない

だろう……？」

「夢みたいでしょう」ラモントはそういってウィンをじっと見た。その目にはウィンがこれまで見たことのない、すくなくとも彼女は見せたことのない表情が浮かんでいる。「ここからつれ出して。地下通路とか非常口とか、何かあるでしょう。とにかくここから出たいのよ。この病院には屋上ヘリポートはないの？」

ウィンは携帯電話でサミーを呼びだした。「ヘリを一台よこしてくれ。それで彼女をここからつれ出す」

「どこへ？」と、サミーがきく。

ウィンはラモントに目をやった。「どこか安全な滞在先がある？」

彼女は一瞬ためらった後に、いった。「ボストン」

「ボストンのどこ？　それがわからないと」

「アパートよ」

「ボストンにアパートをもっているの？」はじめてきく話だった。自宅から十五、六キロのところに、なぜアパートをもっているのだろう？

ラモントは答えない。自分の私生活について、それ以上ウィンに話す義理はないということらしい。

ウィンはサミーにいった。「ヘリが着いたら、警察官が出迎えて彼女をアパートへ送るよう手配してくれ」

電話を切り、ラモントを見た。また例の不吉な気分が頭をもたげている。「慰めのことばをいったところで、何の役にもたたないことはわかっているよ、モニーク。でも今回のことは本当に気の毒に思っている……」

「そのとおり、慰めのことばは何の役にもたたないわ」ラモントはあいかわらず、こちらをどぎまぎさせるような視線を彼に向けている。

「ぼくは二、三日仕事を休む。いまからね。それが最善の策だと思う」

ラモントは白い毛布を体に巻きつけ、白ずくめの小さな部屋のなかに立って、まじまじと彼を見つめている。

「最善の策って、どういうこと？　わたしにとって何が最善かを決めるのは、わたし自身のはずよ」

「これにかかわっているのはあなただけではないだろう」

ラモントはあいかわらず険しい目で彼を凝視していた。

「モニーク、どうしても二、三日必要なんだ。やらなければいけないことがある」

「目下あなたがやらなければいけないのは、わたしの面倒をみることよ。いっしょに善後策を講じて、なんとかこの件をプラスに転じるのよ。あなたにもわたしが必要でしょう」

ラモントは彼を見つめたまま、じっと立っている。ふたりの背後には憎しみと怒りのうずまく闇がある。

「目撃者はわたしだけなのよ」彼女は抑揚のない声でいった。

「いうとおりにしないと、この事件のでんまつについてうそをつくと脅迫しているのか？」

「わたしはうそはつかない。それはみんなが知っているわ」

「ぼくを脅迫しているのか？」ウィンはまたいった。いまやラモントの命を救った男ではなく、ひとりの警察官として彼女と向きあっている。「そうはいかない。あなたより重要な証人が存在するんだ。法医学の物言わぬ証人だ。たとえば彼の体液。合意のうえだった、とあなたが証言すれば別だが。そうなれば彼の唾液（だえき）や精液は無関係ということになる。ぼくは逢い引きの邪魔をしたわけだ。独創的なセックスを楽しんでいるところを。彼はあなたを守ろうとした。ぼくのほうが侵入者だと思って。そう証言するつもりなのかい、モニーク？」

「よくもそんなことを」

「ぼくは筋書きを考えるのは得意なんだ。もっと作ってみようか？」

「よくもそんなひどいことを！」

「それはこっちのいうせりふだ。ついさっき、あなたの命を救ったというのに」

「女性を差別するいやなやつ。典型的な男ね。女性はみんなそれを望んでいると考える」

「やめてくれ」

「女性はひそかな願望を抱いていると。ああいうことをされたがっていると思って……」

「やめてくれよ！」そういってから、声を落とした。「できるだけ力になるつもりだ。あなたにあんなことをしたのはぼくじゃない。何がおこったのか、あなたにはわかっている。彼は死んだ。報いを受けたんだ。これ以上の復讐（ふくしゅう）はないともいえる。あなたは勝った。究極の代償を支払わせたといってもいい。つぎは、事態を修復することだ。なんとかうまくあと始末をしよう。あなたのいう、善後策を講じるんだ」

ラモントの目がいきいきしてきた。何か考えはじめたようだ。

「二、三日余裕がほしい。この事件のことで、ぼくに八つ当たりするのはやめてくれ。それができないようなら、残念ながらぼくはもう……」

「事実を調べなきゃ」ラモントは彼のことばをさえぎった。「ガソリン缶についた指紋。ＤＮＡ。ピストル─盗品だったのか？　わたしの鍵がなくなったこと。たぶん偶然でしょう。彼がそれをもっていたとか、彼の家にあったのなら別だけど。もしもっていたのなら、なぜ家のなかで待っていなかったのか？」

「警報装置がかかっていたからだろう」

「そうね」ラモントは、インディアンの族長のように白い毛布に身を包んで、部屋のなかを歩きまわった。「わたしの家までどうやって来たのか。車をもっていたのか。だれかが車で送ったのか。家族は。だれと知り合いだったのか」

過去形でいう。彼女を襲った犯人は死んだ。ラモントは早くも彼を死んだものとして考えている。まだ一時間もたっていないというのに。ウィンは腕時計を見た。サミーに電話する。ヘリは九分前にこちらへ向かったという。

ベル四三〇はマウント・オーバーン病院の屋上ヘリポートを飛び立ち、ホバリングして機首を旋回させ、ボストンのスカイラインへ向かった。七百万ドルのヘリだ。マサチューセッツ州警察がこれを三台所有しているのは、ラモントの尽力によるところが大きい。

だが目下のところ、彼女はそのことを誇らしく思ってはいない。いまは何に対しても誇りなど感じない。自分がどんな気分かもよくわからない。ただ、石のように重苦しく感じるだけだ。ヘリの後部座席から、地上で右往左往しているジャーナリストたちが見える。爆音をとどろかせてドラマチックに飛び去るヘリに向けて、カメラをかまえている。ラモントは目をとじ、シャワーを浴びて清潔な服に着替えたいという、切実な要求を黙殺しようとした。侵害され、汚された自分の体のことや、性感染症や妊娠の不安についても考えまいとする。数時間前におこったあのことではなく、自分が何者であるかということに、意識を集中するようつとめた。

深呼吸して窓の外に目をやり、眼下をとおりすぎる屋根をながめる。ヘリはマサチューセッツ・ジェネラル病院へ向かっている。パイロットはそこに着陸する計画だ。州警察の警察官がそこでラモントを迎え、アパートに送り届けてくれることになっている。これまで秘密にしていたアパートだ。おそらくこの失敗のために、苦しむことになるだろう。けれどもほかにどうすればよいか、考えつかなかった。

「大丈夫ですか?」ヘッドセットからパイロットの声がきこえてきた。

「ええ」

「あと四分で着陸しますから」

ラモントは自分が沈みつつあるような感覚におそわれた。まばたきもせず、ふたりのパイロットと自分とを隔てている仕切りを見つめる。体が重くなり、さらに沈んでいく。

昔、ハーヴァードの学生だったころ、したたかに酔っぱらったことがあった。そのときいっしょに飲んでいた男性のすくなくともひとりが、正体を失っている彼女とセックスした。意識が戻ったときは陽がのぼり、鳥がさえずっており、ひとりでカウチに寝ていた。何がおこったのかは明白だったが、あやしいと思われる人物を問い詰めることはしなかった。もちろん、性犯罪担当ナースによる検査を受けようとも思わなかった。そのことは、だれにも話したことはない。あの日、どんな気分だったかはよくおぼえている。汚染されたように感じて、ぼうっとしていた。いや、ただぼうっとしていたのではなく、死んでいるような気がした。そう。ダウンタウンのスカイラインへ向かって飛びながら、思いだした。死んだような気分だったのだ。

死は人を自由にする。死んだらもういろいろなことを気にしなくてもいい。死んでいれば、汚されたり傷つけられたりすることはない。

「ミズ・ラモント？」ヘッドセットからまたパイロットの声がきこえた。「着陸したら、完全に停止するまでにすこし時間がかかるので、その間じっとすわっていてください。だれかがドアをあけて、おろしてくれますから」

ラモントはクローリー知事のことを考えた。このニュースをきいたときの、彼のうす笑いをうかべた醜い顔を想像する。もう知っているかもしれない。もちろん知っているだろう。彼は悲しんでみせ、同情し、そして選挙では彼女をおとしめ、打ち負かすだろう。

「それからどうなるの?」ラモントはマイクを口に近づけていった。

「それからのことは、地上にいる州警察の警官が話すと……」

「あなたも州警察の人でしょう。どういう計画なのか、あなたにきいているのよ。メディアの連中は来ているの?」

「そうした件についても説明があると思います」

ヘリはマサチューセッツ・ジェネラル病院の屋上へリポートの上でホバリングしている。ローターが巻きおこす風に、鮮やかなオレンジ色の吹き流しがはためき、ブルーの制服姿の婦人警官が、風を避けるように首を曲げている。ヘリは着陸し、エンジンはアイドリング状態に入った。ラモントは座席にすわって、見おぼえのない不器量な婦人警官を見つめた。警察のなかでも低い階級の人間だろう。トラウマを負い、マスコミに包囲された地区検事を、安全な避難所へつれていくよう命じられている。付き添い役兼ボディガード。いまいましいことに、その任務を与えられたのは女性だ。自分がついさっき男に暴行された女であること、そのため男性に付き添われたくないだろうと思われていることを、それによって意識せざるをえない。自分は傷もの、被害者だ。クローリーのことを考えた。彼が何というか、すでに何を考え何といっているかが想像できる。

エンジンがとまった。ローターの音が低くなり、回転がゆるやかになって、やがて停止した。ラモントはヘッドフォンとショルダーハーネスをはずした。クローリーがわざとらしい厳粛な面持ちでカメラに向かい、マサチューセッツ州民を代表してモニーク・ラモント、被害者ラモントへ同情の気持ちを伝えているところが、目にうかぶ。

被害者ラモントを知事に。あらゆる犯罪。時代を問わず。わたしの事件も含めて。ラモントは婦人警官があけてくれるのを待たずに自分でドアをあけ、だれの手も借りずにヘリをおりた。

あらゆる犯罪。時代を問わず。わたくし、ラモントの事件も含めて。

「ウィン・ガラーノをさがしてちょうだい。いますぐ」と、彼女にいう。「やっていることを中断して、すぐわたしに電話するようにいって」と、命令した。

「わかりました。巡査部長のスモールです」制服姿の婦人警官は手をさしだした。挙手の礼をしかねないほど、かしこまっている。

「気の毒なお名前ね」ラモントはそういって、病院のなかへ通じるドアへ向かって歩きだした。

「あの捜査官のことでしょう？　ジェロニモと呼ばれている」スモール巡査部長が追いついていった。「もしわたしがこの名前で太っていたら、かなり悲惨だけど。そうでなくても、しょっちゅうからかわれるんです」ドアをあけながら、太い黒のベルトから無線機をはずす。「下に車がとめてあります。見えないところに。階段をおりていただけますか？　車でどこへおつれすればいいでしょう？」

「ボストングローブ社へ行ってちょうだい」

ジミー・バーバーの家の地下室はほこりだらけで、かびくさい。ひとつしかないほの暗い裸電球が、垂木(たるき)のところまで積みあげられた段ボール箱を照らしている。百個ほどもあると思われる段ボール箱は、ラベルがついているものもあるが、ほとんどは何も表示がない。

サイクスはこの四時間、ありとあらゆるもの——古いテープレコーダー、何十本ものテープ、空の植木鉢、釣り道具、野球帽、旧式の防弾チョッキ、ソフトボール大会のトロフィー——が入った箱と格闘している。何千枚にものぼると思われる写真、手紙、雑誌、ファイル、下手くそな字で書かれたメモが詰まった箱もあった。がらくたばかりだ。バーバーはとっておきたいものを整理するのが面倒なので、全部箱のなかにほうりこんだのだろう。ファーストフードの包み紙と、くずかごの中身以外は、すべて箱に詰めこんだらしい。

これまでにいくつもの事件の記録に目をとおした。とっておく価値がある、と彼が考えたものだろうか。脱走者が煙突のなかに隠れて、ぬけられなくなった事件、ボウリングピンを凶器に使った殺人事件、男性が鉄のベッドに寝ていて落雷に打たれた事件などだ。酔った女性が小用を足そうと道路のまんなかに車をとめたが、ギアを入れかえるのを忘れたため、自分の車に轢かれるという事件もあった。バーバーが引退したときに、規則に違反して自宅へもち帰ったこの種の記録は、どっさりあった。しかしケースナンバーKPD八九三－八五は見つからない。一九八五年度の書類や書簡、事件記録をおさめた箱にも、入っていなかった。サイクスはウィンの携帯電話にかけ、留守電にメッセージを入れた。これで三度目だ。彼は忙しいのだろう。わかっていても、おもしろくなかった。

もしわたしが重要人物だったら、ウィンがいつも文句をいっているあのハーヴァード出の地区検事みたいな有力者だったら、すぐ向こうからかけてくれるだろう。そう思わずにはいられなかった。サイクスはテネシー州ブリストルにある小さなキリスト教系の大学へ進学したが、二年生のとき成績不良で退学になった。学校は大きらいだった。なぜフランス語や微分積分法を勉強したり、週に二回チャペルへ行ったりしなければいけないのか、理解できなかった。彼女はウィンやあの地区検事、それにウィンがかかわっている北部の人たちと肩をならべられるような人間ではない。そもそもウィンの母親といってもいいほどの年なのだ。

サイクスは五ガロン容量のポリバケツを逆さにして腰かけ、段ボール箱の山をながめた。のどがチクチクし、目はむずがゆく、腰が痛む。どうしたらいいかわからず、途方にくれていた。目の前の仕事だけでなく、あらゆることについてだ。アカデミーで研修をはじめて二日目に、死体農場(ボディ・ファーム)と呼ばれる、かの有名なテネシー大学の研究施設をクラスメートたちと見学させられたときのようだ。そこでは森のなかの広さ二千五百坪ほどの土地に、さまざまな状態の、悪臭をはなつ死体が散乱していた。研究用に献体された人間の遺骸が、衣服をつけ、あるいは裸で、地面の上やコンクリート板の下、車のトランク、遺体袋のなかや外に放置されているのだ。人類学者や昆虫学者がメモをとりながら、毎日そこを歩きまわる。

「よくできるわね。生活のためにしろ、大学院の研究のためにしろ。いったいだれがこんなぞっとするようなことをするのかしら？」と、サイクスはウィンにきいたものだ。ふたりはしゃがんで、一メートルほど離れたところにある、男性の遺体に群がるうじ虫を見ていた。遺体は半ば白骨化し、毛髪は頭蓋骨からずり落ちている。車にはねられて死んだ動物のように見えた。

「はやく慣れたほうがいいよ」と、ウィンがいった。自分はこのにおいもうじ虫もまったく気にならない、おまえは何もわかっていないんだな、といわんばかりだった。「死んだ人を扱うのは気持ちが悪い。感謝してもらえるわけでもないし。でもうじ虫は、なんてことないさ。かわいいもんだよ。ほら」そういって一匹つまみあげ、指先にのせた。うじ虫はうごめきながら、米つぶのようにそこにのっていた。「いわば情報提供者だな。ありがたいものなんだ。死亡時刻とか、いろんなことを教えてくれる」

「でもわたしはうじ虫がきらいなの」と、サイクスはいった。「何にも知らない、ど素人を相手にするような言い方はやめてほしいわ」

彼女はバケツから立ちあがり、山積みになった箱をながめた。バーバー刑事が警察署の自分の部屋からもちだした、昔の事件記録はまだあるはずだ。それが入っているのはどの箱だろう？　まったく、なんてばかなことをする、自分勝手なやつだろう。下から四段目の箱をもちあげた。重くてふうふういう。すじでも違えなければいいが。箱はほとんどみな、ふたがあいている。あのばかが、箱のなかのものをとりだしたり入れたりするたびに、テープで封印するのが面倒だったのだろう。サイクスはクレジットカードの明細書、電話や光熱費の請求書などを調べはじめた。八〇年代半ばからのものだ。それらは目当てのものではないが、おもしろいことに請求書やレシートは、ある人間について本人の供述や目撃者の話よりも、もっと多くを語る場合が多い。二十年前の八月八日、ヴィヴィアン・フィンリーが殺害された日のことを、おもしろ半分に想像してみた。

その日、バーバー刑事はいつもと同じように仕事に出かけ、セコイア・ヒルズの河岸にある、ミセス・フィンリーの豪華な家に派遣されたのだろう。二十年前の八月、自分はどこにいたかを思いだそうとした。そうだ、ちょうどそのころ離婚しようとしていた。二十年前、彼女はナッシュヴィルの警察で通信指令係をしており、夫はレコード会社に勤めていた。ところが、ある新人女性タレントと夫とのかかわり方が、サイクスの容認できない類（たぐい）のものであることが、判明したのだ。

サイクスは月別におおざっぱに分けられたファイルをいくつかとりだし、クレジットカード売上票や、光熱費と電話代の請求書をもって、またバケツにすわった。封筒の宛て先は、この汚らしい地下室のある家の住所になっている。マスターカードでの支払いの記録を調べていくうちに、バーバーは当時ひとり暮らしをしていたのではないかと思いはじめた。彼はもっぱら、ホームデポ、ウォールマート、酒屋、スポーツバーといった店でカードを使っている。一九八五年の前半には、長距離電話はあまりかけていない。月によっては二、三回にすぎない。しかし八月になると、急に事情が変わる。

電話の請求書を懐中電灯で照らしながら考えた。二十年前の携帯電話は、まるでガイガーカウンターのような、大きな扱いにくい代物（しろもの）で、使う人はほとんどいなかった。刑事たちもだ。部署を離れているときに電話をかける必要が生じると、通信指令係に頼んでかけてもらい、その情報を無線で伝えてもらった。内密の、あるいは複雑な情報を入手したい場合は、署へ戻った。出張中にかけたときは電話代を部署に請求する。払い戻しを受けるためには、書類を提出しなければならなかった。

刑事が事件にかかわる電話を自宅からかけたり、料金の請求先を自宅にすることはありえない。しかし八月八日の夕方から、バーバーは自宅から電話をかけはじめている。ミセス・フィンリーが殺され、モルグの冷蔵室におさめられたあとだ。午後五時から深夜までのあいだに、七回の通話が記録されていた。

7

ウィンはコンドミニアムの三階に住んでいる。れんがと砂岩でできたこの建物は、十八世紀半ばには学校の校舎だった。学校に入るのにさんざん苦労したというのに、いまになって学校のなかに住むことになるとは、皮肉だ。

最初からそうするつもりだったわけではない。マサチューセッツ州警察に就職したとき、彼は二十二歳だった。製造後十年たつ中古のジープと古着、それに祖母がやっとの思いで工面して、大学の卒業祝いに贈ってくれた五百ドルが、全財産だった。家賃を払えそうな住まいをケンブリッジ市内で見つけるのは、とても無理だと思われた。ところが、オーチャード・ストリートにある、古い小学校校舎をたまたま見かけたことで、事情が変わった。その建物は何十年も放置されたままになっていたが、アパートに改造されることになり、工事がすすんでいた。まだ入居できる状態ではなかったが、ウィンはその所有者のファルークと交渉して、話をつけた。家賃をうんと安くして、今後も年三パーセント以上あげないと約束してくれれば、長期にわたる改造工事のあいだ自分がそこへ住んで、防犯や管理を引き受けるということにしたのだ。

いまは彼が警察官であることだけでじゅうぶんだった。管理など何もする必要はない。舗装された小さな一画が裏にあり、ウィンはファルークにたのんで、ハマーH2（麻薬の売人が所有していたもの。押収され、競売にかけられたのを二束三文で手に入れた）とハーレーのロードキング（ローン未払いのため回収されたもの。大事に使われていて、状態がよい）、それに覆面パトカーをそこにとめさせてもらっている。ほかの住人の駐車スペースはないので、みな狭い通りに苦労してとめ、車をへこまされたり、こすられたり、ミラーを壊されたりしている。

ウィンは裏口の鍵をあけて建物のなかに入り、階段をあがって三階へ行った。廊下の両側に部屋がならんでいる。かつて教室として使われていたものだ。ウィンは廊下のつきあたりの、三十一号室に住んでいる。重いオークのドアの鍵をあけて、なかへ入った。彼の私的空間であるこの部屋の、古びたれんがの壁には、まだ黒板がはめこまれたままになっている。モミ材の床と羽目板、丸天井も昔のままだ。家具だけはその時代のものではない。部屋に置かれているのはラルフ・ローレンの茶色い革のカウチ（中古品）、椅子、オリエンタルカーペット（ネットオークションのイーベイで手に入れたもの）、トマス・モーザーのコーヒーテーブル（展示見本商品。すこし傷がある）だ。ウィンは目をこらし、耳をすまし、五感をフルに動員してあたりの様子をうかがった。空気はよどみ、居間にひと気は感じられない。引き出しから懐中電灯をとりだし、床、家具、窓をななめに照らし、たまったほこりや、つるつるした表面に足跡や指紋がついていないか調べた。警報装置はつけていない。祖母の家の分の費用をまかなうだけで精いっぱいなのだ。でもかまわない。侵入者には彼なりの方法で対処する。

玄関のそばのクローゼットの壁には、作りつけの金庫がある。それをあけ、スミス&ウェッソンの三五七口径リボルバーをとりだした。三四〇モデルのこの銃は、ハンマー内蔵式だ。つまりハンマーが衣服にひっかかる心配がない。チタンとアルミ合金でできており、まるでおもちゃのように軽い。彼は銃をポケットにつっこんで、キッチンへ行った。コーヒーをセットし、ファルークがカウンターにのせておいてくれた郵便物に目をとおす。ほとんどが雑誌だ。コーヒーがドリップするあいだ、『フォーブス』誌をぱらぱらめくり、超高速車についての記事をざっと読んだ。最新のポルシェ911、新型のメルセデス・ベンツSLK55とマセラティスパイダーだ。

それから寝室へ行った。ここもれんがの壁に黒板が作りつけてある（スコアをつけるためなんだ、と彼はときどきデートの相手にいう。冗談っぽく、ウィンクしながら）。ベッドに腰かけ、コーヒーを飲みながら考えているうちに、まぶたが重くなってきた。

ミネラルウォーターと何か食べるものをもってくればよかった、とサイクスは思った。口が渇き、ほこりっぽい味がする。血糖値が下がっているのがわかる。

思いきって上へ行き、ジミー・バーバー刑事の未亡人に何か食べさせてもらおうかと何度か思った。だが一度だけ上へ行って、トイレを貸してもらえるかときいたとき、寝ているはずのミセス・バーバーはキッチンのテーブルの前にすわってウォッカをストレートで飲んでおり、このうえなく無愛想でよそよそしかった。

「いいよ」べろんべろんに酔っぱらったミセス・バーバーは、頭をぐいとつきだして、廊下の先にあるトイレのほうを示した。「終わったらさっさと用事をすませて、出てってよ。うんざりだわ、まったく。もう協力はしたからね」

サイクスは地下室で疲労困憊（こんぱい）しながら、ひとりでバーバーの不可解な電話代請求書を調べていた。なぜ自宅からこんなに何件も長距離電話をかけたのだろう？　それらの通話のうち、九一九という市外局番で、同じ番号のものが五つあった。ためしにその番号へかけてみると、ノースカロライナ州検屍局の留守録がまず応答した。事件の通報でしょうか、とだれかの声がきいた。

「いいえ。ごめんなさい。番号をまちがえたようだわ」サイクスはそういって、電話を切った。

ヴィヴィアン・フィンリー殺害事件後の何日間かに、バーバーが自宅からかけた通話のうち、市外局番七〇四のものが十二、三件あった。その番号にかけてみると、市外局番は八二八に変わったことを、録音された声が告げた。そこでその番号にかけなおした。

「もしもし？」眠そうな男性の声が応答した。

サイクスは腕時計を見た。朝の七時ちょっと前だ。「朝早くからすみませんが、どれくらい前からこの番号を使っているか、教えてもらえますか？」

男性は電話を切ってしまった。やりかたがまずかったかもしれない。サイクスはもう一度かけ、相手が出るとすぐにいった。「これはいたずら電話じゃありません。わたしはテネシー州捜査局の捜査官です。ある事件のことを調べていて、この番号にいきあたったんです」

「まさか。冗談だろう？」

「いいえ。まじめな話。二十年前におこった事件なんですが」

「えっ？　それじゃ、おばの事件だな」

「おばさまというと……？」

「ヴィヴィアン・フィンリー。この電話番号は彼女の家のものだった。つまり、ぼくたちはそれを変えずに使っているんだ」

「ということは、おばさまはノックスヴィルの自宅のほかにも、家をもっていらしたのね」

「そう。フラットロックにあるこの家をね。わたしは彼女の甥だ」

サイクスはさりげなくきいた。「ジミー・バーバーのことをおぼえている？　おばさまの事件を担当した刑事だけど」

後ろで女性の声がした。「ジョージ？　だれなの？」

「大丈夫だよ、ハニー」彼はそういってから、サイクスに「女房のキムだ」と告げた。そして妻に「すぐ終わるよ」といって、電話に戻った。「あの刑事が一生懸命やってくれたのはわかっている。でも、すこしむきになりすぎたのかもしれない。ひとりで抱えこもうとしたんだ。捜査がうまくいかなかったのは、彼のせいのような気がする。自分の手柄にしたくて、情報をみんなに伝えず、こっそり捜査していた。よくあるんだろう、そういうことは？」

「ええ、残念ながら」

「彼は何かつかんだような感じだった。有力な手がかりをね。でもそれが何かはいわなかった。たぶん、だれにも教えなかったんだろう。事件が解決しなかったのは、ひとつにはそのためじゃないかな。ぼくはずっとそう思っている」

サイクスは、バーバーがさかんに自宅から電話をかけていたことを思いだした。いま相手がいったことが、その理由かもしれない。バーバーは自分がやっていることを秘密にしておきたかった。通信指令係や仲間の刑事たちに、自分がつかんだ手がかりのことを知られたくなかったのだ。自分だけで事件を解決し、その功績をひとり占めしたかったのだろうか。そうした例はこれまでに何度も見ている。

「ハニー」ジョージはまた妻に話しかけている。なだめようとしているようだ。「コーヒーでもいれたらどうだい？　大丈夫だよ」そして電話に戻った。「あの事件では、キムがいちばん苦しい思いをしたんだ。おばとは実の娘のように仲がよかったからね。あのことをまた蒸し返されるのはつらいな」話しながら、何度もためいきをつく。

サイクスはさらにいろいろ質問した。ジョージはヴィヴィアン・フィンリーの唯一のきょうだいであるエドマンド・フィンリーの息子で、おばが殺されたとき、四十代半ばだった。なぜジョージとおばの苗字が同じなのかとサイクスがふしぎに思っていると、ジョージが説明した。おばは頑固な人で、自分の由緒ある姓を誇りにしており、結婚後もそれを使いつづけたという。ジョージはひとりっ子で、キムとのあいだに成人した子供がふたりいる。子供たちは西のほうに住んでおり、夫婦はフラットロックで暮らしている。あの事件のあとまもなく、テネシーを離れた。テネシーにいると、事件のことを思いだしてしまうからだ。とくにキムは動揺が激しく、事件後ノイローゼになりかけたほどだった。

また話をきかせてもらう、たぶん今度はウィンストン・ガラーノという捜査官が連絡する、とサイクスは彼にいった。ジョージはそれをきいて、当惑したようだった。

「あのことを思いだすのはつらくてね。何年も前の事件なのに、なぜいまになって捜査を再開するんだ？」

「いくつか調べたいことがあるので。ご協力をおねがいします」

「もちろん。できることは何でもするよ」

協力するつもりなんかないくせに、とサイクスは思った。怒りがおさまり、不快な思い出が薄れると、たいていの人は正義のことなどどうでもよくなる。とにかく忘れてしまいたいのだ。

「やれやれ」サイクスはバーバーの家の薄暗い、しょぼくれた地下室に向かってつぶやいた。わたしだって、楽しんでるわけじゃないんだから。

『考える人』の像のように、バケツにすわってしばし考えこんだのち、ふたたび請求書を調べる作業に戻った。マスターカードの一九八五年九月分の明細書を見つけ、封筒の中身をとりだすと、一瞬ぽかんとした。彼女にいわせると、脳がディスクエラーをおこしたのだ。

「何、これ？」そうつぶやいて、手にした書類を見つめた。その表紙には検屍のケースナンバーが押印されている。それとは別に、警察のファイルナンバーも記されていた。鉛筆でなぐり書きされたそのナンバーは、KPD八九三－八五だ。

表紙の次のページには、検屍官が記録したヴィヴィアン・フィンリーの所持品のリストがのっている。そのページには、男性のバラバラ死体のポラロイド写真がホッチキスでとめてあった。煤(すす)で汚れた血まみれの身体の断片だ。足、腕、下肢、肉のかけら、内臓、切断された頭などが、グリーンのシートでおおわれたステンレスの検屍台の上にならべられている。大きさの参考のために置かれた長さ十五センチの定規にケースナンバーが書かれており、それを見るとその死亡事件は一九八三年に、ノースカロライナでおこったものであるとわかる。

ウィンははっとして目をさました。一瞬、自分がどこにいるのかわからなかった。二時間以上寝ていたようだ。服を着たままだ。首がこわばり、ナイトテーブルの上のコーヒーは冷たくなっている。

留守電のメッセージをチェックした。最初のほうに入っているサイクスからの伝言は飛ばした。彼がラモントのことで忙しく、フィンリー事件のことまで手がまわらなかったときのものだ。サイクスはそれ以外にもひとつ伝言を残していた。インターネットでファイルを送ったので、すぐにそれを見て電話してくれという。ウィンのパソコンは、スティックリー製のデスク（ガレージセールで手に入れた）のまんなかに、きちんと置かれている。その前にすわり、サイクスの番号を打ちこんで彼女の携帯電話にかけた。

「びっくりしたわ！」耳が痛くなるほどの大声だ。「いまきいたところよ！」

「落ち着いてくれよ。固定電話がそばにある？」

サイクスが教えてくれた番号は、アカデミーのもののようだ。ウィンはその番号にかけた。

「もうびっくり！」サイクスはまたいいはじめた。「ニュースで大々的にとりあげられてるわよ。信じられないわ、ウィン。いったい何があったの？」

「そのことはあとで話すよ、サイクス」

「犯人と格闘したというのに、そのことを話すのはあとまわしにするっていうの？　でも、ともかくやっつけたのよね。やれやれ。それで彼女は？　どうなるの？　あの地区検事。こっちじゃ、その話でもちきりよ」

「そろそろ本題に入ろうよ、サイクス」

「わからないのは、そもそもなぜあなたが彼女の家へ行ったのかってこと。自分でなかへ入ったんでしょう？　彼女に誘われたわけ？　いっしょにナイトキャップでも、とか」

刑事でなくても、サイクスがやきもちをやいていることはわかる。相手は美人で、強い影響力をもつラモントだ。サイクスは彼女に会ったことがないので、余計に脅威を感じるのだろう。そしていまや、ウィンが身の危険もかえりみずに、ラモントの命を救ったと思いこんでいる。ラモントは終生彼に愛情をささげるにちがいない、とでも思っているのかもしれない。彼女が仕事をやめ、ウィンと結婚し、彼の子供を産み、彼が死んだらあとを追うだろうと。

「何を手に入れたんだ？　ファイルは見つかったのか？」

「いまいましいことに、バーバーの家の地下室で夜通しさがしたのに、それだけは見つからないの」

ウィンはさめたコーヒーをすすり、メールをあけた。サイクスから送られたファイルを見て、それを文書ファイルに変換する。そのあいだサイクスはほとんど息もつかずに、早口でしゃべり続けていた。マスターカードの明細書と電話代の請求書のこと、バーバーがなわばり意識をもち、名誉をひとり占めしたくて情報を隠していた可能性があること、ミセス・フィンリーの甥がいったことなどを、やつぎばやに話す。やがて、ミセス・フィンリーが殺害される二年前に、シャーロットで列車に轢かれた男性のことに話がおよんだ。

「ちょっと待ってくれ」ウィンは画面を見ながら、彼女のことばをさえぎった。「列車による轢死が、この件とどう関係あるんだ？」

「こっちが知りたいわ。写真を見た？」

「いま見ているところだ」ウィンは画面にあらわれた写真をじっくりながめた。ポラロイドカメラでとったその写真は、あまり鮮明ではない。ずたずたに切れた腕や脚、腸、肉のかけらなどがひとまとめにしてあり、そのとなりに手足のない胴体と、頭がならんでいる。黒いグリースと泥にまみれているように見える。白人。黒い髪。年は比較的若い。ウィンにわかるのはそれくらいだ。「検屍局に問い合わせてみた？」

「あら、この事件がわたしの担当だとは知らなかったわ」

ウィンの携帯電話が鳴った。彼は応答せず、うるさそうに音を切った。

「きみ、なんだか怒ってるようだね」

「そんなことないわよ」サイクスはつっけんどんにいった。

「よかった。ぼくのことを怒っている人がいっぱいいるからさ。きみまでその仲間入りしてほしくないよ」

「怒っている人って、たとえばだれ？」

「まず、彼女」

「あなたのおかげで命拾いしたというのに……？」

「そう。前にもいっただろう。あの人は一種の人格障害、社会病質者なんだ。クライドのいないボニーといったところだな。彼女にはクライドは必要ない。男はみんなクライドだと思っている。クライドを憎んでいるんだ」

「ラモントは男がきらいってこと？」

「あの人はたぶん、だれのことも好きじゃないんだよ」

「とにかく、ひとことお礼をいってもらいたいわ」サイクスはつとめてぶっきらぼうにいった。「一晩中あなたのためにがらくたを調べていたのよ。あと五分で授業がはじまる。それなのにあたしはなぜかメディア室で、あなたにファイルを送り、いろんな人に電話して、あげくにどやしつけられている。今日、ローリーへ飛んで、チャペルヒルの検屍局へ行くから、飛行機のなかでこの事件の記録に目をとおすわ」

「どやしつけられたって、だれにだい？」ウィンはにやにやした。サイクスは怒ると子供のようになる。典型的な南部人だ。

「シャーロットのいやみな刑事よ。ところで、あたしの飛行機代はだれが負担してくれるの？」

「心配しなくてもいい。全部ぼくがちゃんとやるから」ウィンはそういいながら、べつのファイルをスクロールした。これもバーバーの家の地下室にあったものだ。検屍のときに遺体が身につけていたもののリストだが、それを見るとふしぎな気がした。「列車による轢死事件を捜査したシャーロットのいやみな刑事は、どんなことをいったんだい？」

フリルつきの青いテニスパンティ。ボールポケットつき。ウィンはリストを目で追った。

アイゾッドの白いテニススカートと、対のシャツ。どちらも血だらけ……。

また携帯電話が鳴った。今度も無視する。

「最低なやつよ」サイクスはあいかわらず怒りをぶちまけている。「いまは署長になってるの。かすは上まで浮きあがるっていうけど、そのとおりね」

ウィンは所持品リストのページの右上に、鉛筆で書かれた番号を拡大した。KPD八九三－八五。

「サイクス？」

「……報告書のコピーがほしいなら、書面で依頼しないとだめだというの。報告書はもうマイクロフィルムになっているだろうって。それで、こういったわ。そもそもなぜそんなものが必要なのかわからない、なんてことのない事件なのに……」

「サイクス？　KPD八九三－八五。ヴィヴィアン・フィンリーのケースナンバーだろう？　殺害されたとき、彼女はテニスウェアを着ていたのか？」

「本人がきいたら何ていうか。貨物列車に轢かれて、ぐしゃぐしゃになっちゃった人。なんてことのない事件て……」

「サイクス！　この所持品リストは、ヴィヴィアン・フィンリーがモルグへ運びこまれたときに、身につけていたものなのか？」

「それも妙なのよね。彼女の事件のファイルで見つかったのはそれだけなの。残りはどこへ行ったのかしら」

「ノックスヴィル警察の証拠品保管室に二十年間しまわれていて、カリフォルニアでのＤＮＡ検査に使われたのは、この血だらけのテニスウェアなんだな？」

ラモントにわたされた検屍報告書から判断するかぎりでは、七十三歳のヴィヴィアン・フィンリーは、とても小柄な女性だった。

「この所持品リストは、本当にこの事件のものなのか？」

「ケースナンバーがフィンリー事件のものだってことは確かよ。あそこにあった箱を全部あけて、なかのものを全部調べたのよ。ぐでんぐでんに酔っぱらったミセス・バーバーが、早く出ていけといわんばかりに、一階のキッチンでがたがた動きまわったり、足を踏みならしたりしていたけどね。ほかには何もなかったわ」

ウィンはもう一度所持品リストを見て、あることに気づいた。見たとたんに気づくべきだった。

「彼女の甥は、喜んでわたしたちと話をするといっていたわ」と、サイクスがいった。「まあ、喜んでとはいわなかったけど。でも話はしてくれると思う」

「サイズ十だ」ウィンがそういったとき、だれかがドアをノックした。「テニスウェアのサイズは十。百五十二センチ、四十一キロの女性が、そんな大きなサイズを着るはずがない。何だよ！」ノックの音が性急になってきた。

「ちょっと失礼」サイクスに断ってデスクの前から立ちあがり、居間へいった。切迫した調子でドアをたたく音がつづいている。のぞき穴からのぞき、困惑したようなサミーの紅潮した顔を見て、ドアをあけた。

「一時間も前から、ずっと連絡をとろうとしてたんだぜ」サミーがいきなりいった。

「どうしてぼくがここにいるってわかったんだ？」ウィンはわけがわからない。一瞬、頭が混乱した。

「おれは刑事だぞ。きみの自宅の電話がずっと話し中になってたからな。彼女にギャーギャーいわれてさ」

「彼女って？」

「きまってるだろ。すぐいっしょに来てくれ。彼女がボストングローブ社できみを待ってる」

「いやだよ」と、ウィンはいった。

8

編集局長のスチュアート・ハミルトンは、この場にふさわしい表情を保ちつつ、ラモント、ベテラン記者、カメラマンといっしょに局長室にすわっている。局長室はガラス張りだ。ニュース編集室にいるものはみな、そこでの成り行きを見守っている。これは先例のないインタビューとなるにちがいない。ボストンではレッドソックスがワールドシリーズで優勝して以来の、大ニュースだろう。

ガラスの向こうには百人もいるだろうか。その全員がかの有名な、手ごわい地区検事、モニーク・ラモントの姿を見ることができる。黒っぽいウォームアップスーツを着たラモントは、化粧もせず、疲れきった様子でソファにすわっている。そして見物している彼らの最高司令官たるハミルトンが、沈痛な面持ちで、うなずきながら話をきいている。記者、秘書、編集主任らがガラス越しに向けてくる視線は遠慮がちだが、ラモントは自分が見られ、話題にされていることを知っている。みんなが互いに目配せし、各編集部のあいだでメールがとびかっていることも承知だ。そうなることを望んでいる。このインタビューは一面のトップを飾るだろう。サイバースペースをかけめぐり、世界中の新聞やインターネットのニュースサイトにのる。テレビやラジオでもとりあげられるにちがいない。

クローリーのやつ、地獄に落ちればいい。

「こうするしかなかったからよ」と、ラモントはいった。靴を脱ぎ、まるで旧友とコーヒーでも飲んでいるかのように、両ひざを折ってソファの上にすわっている。「すべての女性のために」そういいかけて、訂正した。「男性、女性、子供。性犯罪の犠牲になったすべての人のために」

気をつけて。性犯罪を女性だけの問題に限定しないように。自分を被害者だとはいわないように。

「性犯罪を恥ずかしいこととみなす風潮は変えなければ。小児性愛（ペドフィリア）やレイプ……ついでながら、レイプの被害を受けるのは女性だけではない……そのためには、そうした犯罪をもっとオープンにとりあげ、性という側面だけでなく、暴力という側面からもそれを語る必要があるわ」

「つまりあなたはこの事件から性的な要素をとりさり、すべてを白日のもとにさらそうとしているわけですね」と、記者はいった。パスカル・プラッサー……ナントカという名前だ。ラモントはどうしてもそれをおぼえられない。

以前にインタビューを受けたとき、彼はそこそこ公平で、そこそこ正確な記事を書いた。頭のよさも、そこそこというところだった。インタビュアーとして彼を指名したのは、そのためだ。ラモントは予告なしで新聞社へ行き、ハミルトンに電話して、このような重大な独占インタビューにふさわしい報道をすると約束すれば、さきほどおこったことについて、率直に話すともちかけたのだ。

「いいえ、パスカル」と、彼女はいった。「そうじゃないわ」

ウィンはどこにいるのだろう？　そう考えると怒りがこみあげ、重苦しい不安が胸に広がった。

「わたしにおこったことから性的な要素をとりさるなんて、できるはずないわ。あれは性犯罪よ。性的暴行。しかも命まで奪われかねなかった」

「あなたがいまやっていることは、実に勇気のある行為だと思いますよ、モニーク」

葬儀屋を思わせる重々しく、愁いをおびた調子で、ハミルトンがいった。「でもあなたを誹謗（ひぼう）する連中のなかには、これを政治的策略とみなすものもいるでしょう。たとえばクローリー知事……」

「策略ですって？」ラモントは身を乗りだして、ハミルトンの視線をとらえた。「わたしは頭に銃をつきつけられ、縛られてレイプされたのよ。犯人はわたしを殺して、家を焼きはらうつもりだった。それを策略だというの？」

「事件のことをこうして話すことが、そうとられかね……」

「策略だといいたい人は堂々とそういえばいい。どうぞ。むしろ歓迎するわ。いえるものならいってごらんなさい」ラモントは信じられないほどの自制心と気概を見せていった。

なぜこれほど落ち着いていられるのか、彼女自身にもよくわからない。この冷静さは異常ではないかと不安だった。激しい嵐の前の静けさだろうか？　狂気に陥る前、自殺する前の、つかのまの正気なのではないか？

「なぜ歓迎するとまでおっしゃるんですか？」パスカル－ナントカがメモをとり、ページをめくりながらきいた。

「だれであろうと」ラモントは険しい声でいった。「だれであろうと、そんなことをいったりほのめかしたりすれば、自分の卑劣な本性をさらけだすことになるからよ。ちょうどいいわ。いわせればいい、そいつに」

「そいつというと、男性ですか？」

「だれでもいい。いってみるがいいわ」

ラモントはガラスの向こうの、小さく仕切られた殺風景な空間と、それぞれの小部屋にいる記者たちをながめた。くだらない話や他人の悲劇にたかる、卑しい連中だ。彼女はウィンをさがした。人目をひくその力強い姿が、突然ニュース編集室にさっそうとあらわれ、まっすぐ自分のほうへやってくるのを待った。しかし彼はどこにも見えない。希望が消えていき、怒りがわきおこった。

ウィンは彼女の命令を無視した。ラモントをみくびり、おとしめた。女だと思ってばかにしたのだ。

「あなたが新たに打ちだした犯罪撲滅のスローガン――まさに今朝の朝刊で発表されたもの――『あらゆる犯罪。時代を問わず』。それについてのいまのお気持ちは？」と、ハミルトンがいった。「迷宮入り事件を再捜査するという、この『危機回避』構想はどうなりますか？　テネシーでの殺人事件があとまわしになる可能性は？」

ウィンは来ない。罰を与えてやらなければ。

「わたしはあらゆる凶悪犯罪を解決し、法に照らして犯人を処罰することに、強い意欲を燃やしています。それがどんなに古い犯罪だろうとね」と、ラモントはいった。「そのために、ガラーノ捜査官を専任で『危機回避』にとりくませることにしたの。彼がわたしの管轄下の、ミドルセックス郡警察署での仕事を休職しているあいだ」

「休職？　ではロジャー・バプティスタに対する発砲の正当性が問題になっているの

ですね？」パスカルが急に活気づいた。この痛々しくも勇気あるインタビューがはじまって以来、はじめてだ。

「法執行官が武器を使用した場合は、一見やむをえない状況であっても」ラモントは、「一見」ということばを強調した。「徹底的に事情を調査する必要があるわ」

「今回の武器使用は不当だったということですか？」

「いまはこれ以上のコメントは控えさせてもらうわ」


ウィンは封をした封筒をもって、州警察の科学捜査研究所へ行った。いささか後ろめたい気持ちだった。すぐに証拠を分析してもらいたいからといって、優先順位や手続きを無視するのはフェアではないことはわかっている。

ボストングローブ社へ行かなかったことについては、後ろめたさはみじんもない。ラモントの貪欲（どんよく）な政治的野心のために、無謀で突拍子もない、そして彼にいわせると自滅的な行為に参加するつもりはなかった。サミーによると、ラモントの衝撃的な独占告白のことは、すでにネットやテレビ、ラジオで話題になっており、みんなが彼女の痛ましい、そして扇情的なインタビュー記事を読もうと、待ちかまえているという。ラモントはむこうみずで分別がないのだろう、とウィンは考えた。そういう人間の下で働くのは、あまりありがたくない。

正面に重々しいスチール製の扉のある、モダンなれんが造りのビルは、ウィンにとって安息所だ。ジェシー・ヒューバー所長に胸の内を語り、事件について相談し、不平をいい、打ち明け話をし、アドバイスを求め、頼みごとをしたいときに、ここへ来る。ウィンはグリーンとブルーのガラスブロックに囲まれたロビーを横切り、長い廊下を歩いて、あいかわらず開けてあるドアから、勝手になかへ入った。友人にしてよき助言者であるヒューバーが、地味なダークスーツにグレーのシルクスカーフという、いつもながらの小粋な服装で、これまたいつものように電話中だった。ヒューバーは長身でやせており、頭はつるつるにはげている。だが女性にはめっぽうもてる。たぶん彼が力強く、また聞き上手だからだろう。三年前、ヒューバーはウィンの所属する隊の幹部捜査官だったが、その後研究所の責任者に抜擢(ばってき)された。

ウィンを見ると彼は電話を切り、デスクの前の椅子からぱっと立ちあがり、「どうした、きみ!」というなり、彼を抱きしめた。親愛の情をこめて背中をたたく、という感じの、男同士の抱擁だ。「まあ、すわれよ。信じられないな。いったいどういうことなんだ?」そういってドアをしめ、椅子をひきよせた。「わたしがきみをテネシーへ送った。世界有数の科学捜査訓練施設へね。きみにうってつけの場所だ。ところが、なんてこった。何のために戻ってきたんだ？　なんでこんなことになったんだ？」

「ぼくをあそこへやったのはあなたなのか？」ウィンはとまどいながら、すわった。

「ラモントじゃなかったのか。ぼくをアカデミーへ送るというのは、ラモントのすばらしい思いつきなのかと思っていた。そうしておいて、彼女のいう『小さな町の事件』をぼくに担当させて、われわれ『大都市の人間』の手柄にしようという魂胆なのかと」

ヒューバーはつぎに何といおうか考えているかのように、しばらく口をつぐんでからいった。「きみは人を殺したんだぞ、ウィン。政治的かけひきのことなんかいってる場合じゃない」

「ぼくが人を殺すことになったのは、政治的かけひきのためだ。こっちへ戻って彼女と食事をするよう命令されたのも、そのためなんだよ、ジェシー」

「よくわかるよ」

「わかってくれる人がいてよかった」

「怒ってるんだね」

「ぼくは利用されている。捜査しろといっても、何の手がかりも与えられていない。

事件のファイルさえ見つからないんだ」

「どうやらきみもわたしも、この難儀な『危機回避』構想については同じ意見のようだな。お互いに彼女のおかげでそれに巻きこまれたわけだ」

「これは知事がいいだしたことだと思っていた。彼女はその指揮をとっているだけだと。

ぼくの受けた説明ではそういうことだった……」

「そのとおりとも、ちがうともいえる」ヒューバーは彼のことばをさえぎり、すわったまま身をのりだし、声をひそめた。「ことの大元はラモントだ。彼女がそれを考えだして、クローリーに提案した。それがうまくいけば、マサチューセッツ州と知事の功績になる、と説得したんだ。彼女は最高殊勲選手の栄誉を手にできるかもしれないが、チームのオーナーはあくまでもクローリーだからな。知事を、とくにクローリーを説得して、この手のことをやらせるのは簡単だ。知事というものがいかに細かい事情にうといか、きみも知ってるだろう？　ところで、事件のファイルが見つからないって、どういうことだ？」

「どこにもないんだ。フィンリー事件に関する警察の記録を入れたファイル。その行方がわからない」

ヒューバーはおおげさに、あきれたような顔をしてみせた。「おいおい、彼女が自分のオフィスへ送らせたとは考えなかったのか？」そうつぶやいて受話器をとりあげ、ダイアルしてウィンを見上げた。「きみをこの件にひきずりこむ前に」

「彼女の話では……」と、ウィンはいいかけた。

「あのねえ」ヒューバーは電話に出た相手にいった。「いまウィン・ガラーノが来ているんだ。それで、フィンリー事件のファイルのことなんだが。見たことあるか？」しばしの間のあと、ウィンをじっと見る。「やっぱりね。ありがとう」そういって、電話を切った。

「どういうこと？」と、ウィンはたずねた。胃のあたりで、いやな気分がうごめきはじめている。

「何週間も前に受けとって、ラモントのデスクの上に置いたとトービーはいっている」

「彼女は見ていないといっていた。ノックスヴィル警察の連中も、見たことがないそうだ。トービーの電話番号を教えてくれないか？」

ラモントはうそをついたのか？　ファイルをなくしたのか？　それとも彼女がそれを見る前に、だれかがとったのだろうか？

「政略ってやつだよ、きみ」と、ヒューバーがいった。「それも、卑劣な政略かもしれない」意味ありげな目つきでそう強調し、電話番号を書きとめて、ウィンにわたす。『危機回避』の話を彼女からきいたとき、クローリーにこんなことをやらせるべきではない、とさんざんいったんだ。やめさせるようにとね。『あらゆる犯罪。時代を問わず』だって？　かんべんしてくれよ。有史以来のすべての未解決殺人事件について、ＤＮＡ検査をはじめるとでもいうのか？　いますぐ捜査しなきゃならない事件が、五百件もあるというのに。本物の事件だ。本物の人間が、レイプや殺人を犯しているという」

「なぜぼくをノックスヴィルへ行かせたのか、よくわからないな」ウィンはそのことにこだわっていた。いぶかしく思い、すこし動揺している。

「きみのためになると思って。すばらしい施設だし、履歴書にのせても映えるし」

「あなたがいつもぼくのことを考えてくれているのはわかる……でもたまたまぼくが向こうにいるときに、この件がもちあがるとは……」

「いや、まったくの偶然というわけではない。ラモントは地元以外でおこった古い事件を再捜査することに、意欲を燃やしていた。そのとき、たまたまきみがテネシーにいたわけだよ、ウィン。そして彼女がこの件を担当させたいと考えていた捜査官が、たまたまきみだった」

「もしぼくがテネシーにいなかったら？」

「どこか遠くの町でおこった、ほかの古い事件をさがしだして、何らかの方法できみを貸し出す形で、捜査にあたらせただろうな。文化度の高い、われわれニューイングランド人が助っ人として馳せ参じようというわけだ」そして、皮肉っぽくつけ加える。「マサチューセッツ工科大学（MIT）とハーヴァードの国から精鋭北部軍団を送りこむ。うやむやにするのも簡単だろう？　南部の古い小さな町でおこった事件の捜査が行き詰まったとしても、いずれ——たぶん選挙のころまでには——こっちの人たちは忘れてしまう。マサチューセッツでおこった昔の未解決殺人事件をうやむやにするほうが、ずっとむずかしいだろう？」

「たぶんね」

ヒューバーは椅子の背にもたれて、さらにいった。「きみはアカデミーで花形になってるそうじゃないか」

ウィンは黙っていた。さまざまな思いが頭にこびりつき、ふり払うことができない。スーツの下でじっとりと冷や汗をかいていた。

「将来のことを考えたほうがいいよ、ウィン。一生彼女の下で働いたり、チンピラどもが互いに殺しあうような事件のために、日夜かけずりまわったりしたくはないだろう？　たいした給料をもらえるわけでもない。わたしはいい加減うんざりだったね。きみは最高のトレーニングを受けている。きちんと仕込まれているし、才能もたっぷりある。わたしが引退したあとは、きみがここの所長をひきつぐんじゃないかな。その日が待ち遠しいよ。もっとも、そうなるかどうかは、そのときの権力者、つまり知事の座にだれがついているかによる」ヒューバーは心得顔でいった。「わかるか？」

ウィンには彼のいっていることがさっぱりわからない。そこで黙っていた。ヒューバーに対して、ある感情がめばえた。これまで感じたことのないものだ。

「わたしを信用しているか？」

「ええ。いままでずっと」と、ウィンは答えた。

「いまはどうだ？」ヒューバーの顔は真剣だ。

ウィンはその問いにまともに答えることを避けた。「信用していなければ、心の健康とやらをとりもどすための、メンタルヘルスデーを、あなたといっしょにすごしたりしないよ、ジェシー。ぼくらの住むこの魔法の国では、職務中に人を殺すと、そういう日が与えられる。すばらしいじゃないか」

「わたしはもうストレスコントロール課にはかかわっていないんだよ。知ってるだろう」

「そんなことは関係ない。あなたにもわかっているはずだ。ぼくはいま、自分の選んだ経験豊かなカウンセラーの、カウンセリングを受けているんだ。だれかにきかれたら、心のケアを受けてきたというつもりだ。いまどんな気持ちか、きいてくれよ」

「どんな気持ちなんだ？」

「武器を使ったことを、残念に思っている」ウィンは機械的にいった。「精神的に参ってしまって、夜も眠れない。なんとか彼を制圧しようとしたんだが。結局あぁせざるをえなかった。悲しいことだ。まだ若かったから、更生して社会の役にたつこともできただろうに」

ヒューバーは長いこと彼を見つめてから、「吐き気がしてきたよ」といった。

「それじゃ、本音をいうよ。やつに殺されずにすんだことを、ありがたく思っている。ラモントとぼくがね。それから、あのくそ野郎が、彼女とぼくをこんな目にあわせたことに、怒りを感じている。やつが死んでよかったと思っている。訴えられずにすむから。ところで、しばらくレイクを借りていいかな？」ウィンは封筒をヒューバーに見せた。封筒のふたには証拠品用の黄色いガムテープが貼られ、その上にウィンのイニシャルが記されている。「彼女のお得意の、あの魔法みたいな静電検出装置(ESDA)か、あなたが最近手に入れたイメージエンハンスメント処理ソフト、あるいはその両方で、この手紙を調べてもらいたいんだ。そういえば、あの紙幣、バプティスタのポケットに入っていた千ドル分のお札から、指紋は検出された？」

「統合自動指紋照合システム(IAFIS)にかけたけど、何も出てこなかった」ヒューバーは立ちあがり、デスクの後ろへ戻って回転椅子にすわった。

「この事件は、どういうことだと思う？」と、ウィンがきいた。「強盗が暴力行為におよんだのか、それとも何かほかのことだろうか？」

ヒューバーはすこし口ごもってからいった。「怨恨(えんこん)。彼女には山ほど敵がいる。きみにもそろそろ醜い真実が見えてきただろう。彼女に何を話し、どんな質問をするかには、気をつけたほうがいい。残念なことだがね。そう、実に残念だ。彼女も最初はこうではなかった。信念をもって、悪人どもに裁きを受けさせていた。わたしも尊敬していた。ところがいまは……道徳観念ということばが、彼女の辞書から抜け落ちてしまったようだ、とだけいっておこう」

「あなたと彼女は、互いに気を許す仲なのかと思っていた。彼女は息子さんのために一肌脱いだわけだし」

「そう、気を許す仲だよ」ヒューバーは情けなさそうに笑った。「この業界では、相手についての本当の気持ちは、絶対に知られてはならない。トービーが本心では彼女のことをどう思っているか、ラモントは夢にも知らないだろう」

「あなたの気持ちも？」

「彼女は無能な人間だ。あらゆることを人のせいにする。トービーもよく責任を押しつけられている。男同士だから、本音をいおう。ここだけの話だぞ、ジェロニモ。彼女はいずれ失脚する。悲しいことだがね」

9

列車による轢死（れきし）の検屍をおこなった法病理学者は、その一週間後に死亡していた。日曜日の午後にスカイダイビングをしていたところ、パラシュートが開かなかったのだ。

もしサイクスの目の前にその事件のファイルがなかったら、とても信じられなかっただろう。祟（たた）りかしら、と不安になった。サイクスは子供のころ、考古学が大好きだった。彼女が関心をもった数少ない分野のひとつが、それだった。学校で習わなかったことがその理由かもしれない。だがツタンカーメン王の墓や呪い、関係者の謎の死などについて読むと、興味を失ってしまった。

「二十年前にミセス・フィンリーが殺害される。その二年前に列車による轢死事件がおこっている。そして、その直後に検屍官が死亡。なんだかこわくなってきたわ」サイクスは電話でウィンにいった。

「たぶん偶然だろう」

「それじゃ、なぜあの写真がミセス・フィンリーの所持品リストにつけてあったの？」

「いまのことを話すのはまずいんじゃないかな」ウィンは携帯電話が好きではない。携帯電話での会話は、盗聴されるおそれがあると思っている。ノースカロライナ大学チャペルヒル校、医学部付属病院の裏にある、ベージュ色の高層ビルの十一階だ。彼女は当惑していた。ヴィヴィアン・フィンリー殺害事件について調べれば調べるほど、謎が深まっていく。まず、事件のファイルが見つからない。あるのは殺害されたときに被害者が着ていたと思われる衣服のリストだけだ。テニスウェアだが、サイズがあっていない。つぎに、列車による轢死がこの事件にかかわっている可能性が出てきた。そして今度は、検屍官がスカイダイビング中の事故で死亡したことがわかった。

「いくつかききたいんだけど」と、ウィンはいった。「手短に答えてくれ。どんな事故だったんだ？」

「パラシュートが開かなかったの」

「事故後にそのパラシュートの調査がおこなわれたはずだね」

「その報告書や何かを全部メールで送るわ。自分で読んで。いつこっちへ帰ってくるの？」

　サイクスは見捨てられ、孤立しているような気分だった。ウィンは北部にいる。あの地区検事といっしょに。ふたりのことが大々的に報じられている。ウィンは発砲事件にかかわったそうだが、さっさとボストンを離れてこっちへ戻り、協力してくれるべき、というのがサイクスの気持ちだ。そもそも、これはウィンの担当の事件なのだから。もはやそうは思えなくなっているが、事実としてはやはり彼の事件だ。新たにセンセーショナルな事件がおきたいま、二十年も前の老婦人殺害事件など、かすんでしまうだろう。だれも気にもしないにちがいない。

「なるべく早く」ウィンはあっさりいった。

「そっちで厄介なことになっているのはわかるけど」サイクスはつとめて冷静にいった。「でも、これはあなたの事件なのよ、ウィン。いい加減にアカデミーに戻らないと、わたしはテネシー州捜査局（TBI）にこってりしぼられることになる」

「大丈夫、ぼくが何とかするから」

　ウィンはいつもそういうけれど、結局何もしてくれない。サイクスは彼と話をするのに忙しく、勉強したり、その日授業でやったことについて、ほかの生徒たちと話しあったりするひまがない。そのため、講義についていけず、最新の犯罪科学や捜査の技術がよく理解できないうえ、友達もできない。そのことをこぼすと、ウィンは「心配いらないよ。ぼくがついてるから。ぼくは教えるのが得意なんだ」という。息子といってもいいほどの年の男性と、こんなに親しくするのはまずいかも、と彼女がいえば、年なんか関係ないよという。そのくせ、若い女性に関心をもったり、あの地区検事、美人で頭の切れるラモントのことを気にかけたりする。

サイクスは検屍官死亡事件の報告書に目をとおしはじめた。彼の名前はドクター・ハート（け）だった。やっぱりね。こんな悲惨な事件でなければ、笑ってしまうところだ。報告書によると、彼は推定千五百メートルの高さから落下し、頭部に大けが（が）を負った。脳の一部が剝離（はくり）し、大腿骨が臀部（でんぶ）に食いこんでいたほか、あちこちが砕けたり折れたり、裂けたりしていた。パラシュートについては、通報を受けて現場へ急行した警官の、簡単な説明がのっているだけだった。警官によると、パラシュートは正しく畳まれていなかったようだという。パラシュートを畳んだのはドクター・ハート自身だと、目撃者は証言している。自殺の可能性についても検討されていた。

しかし同僚や家族の話では、彼は多額の借金を負って、離婚することになっていたものの、落ちこんだりふだんとちがう様子を見せたりはしていなかった。むしろ、上機嫌のように見えたという。サイクスはその手の話を前にもきいたことがある。何も気づかなかった、とみんないう。なぜか。気がかりな兆候がすこしでもあったと認めると、自分のことにかまけて人を気づかってあげなかったことが、後ろめたく感じられるからだ。ノックの音がきこえ、顔をあげた。ドアがあき、検屍局長が入ってきた。五十代とおぼしき、やつれた感じの地味な女性だ。金縁の眼鏡をかけ、だぶだぶの白衣を着て聴診器を首にさげている。

「おや、まあ」サイクスはわざとらしく聴診器を見た。「切ったり裂いたりしはじめる前に、本当に死んでいることを確かめるわけ？」

局長は笑った。「秘書に、肺の具合を診てくれと頼まれたの。彼女、気管支炎になりかけていてね。ここへ来たのは、何かいるものはないかと思って」

それだけではないだろう。

「ドクター・ハートが亡くなったときには、あなたはここにいなかったのよね？」

「ええ、わたしは彼の後任として来たの。ところで、これはどういうことなの？　なぜそんなに熱心に調べているの？」局長は、テーブルの上のふたつのケースファイルに視線をやった。

サイクスはくわしく話すつもりはない。「一見関係なさそうな事件に、つながりがあるかもしれないから。例によって、あらゆることを確かめる必要があるの」

「ドクター・ハートの死が自殺だったことは、はっきりしていると思うけど。なぜT

BIがこの件にかかわっているの？」

「かかわってはいないわ」

「じゃ、あなたがこの事件を捜査しているわけじゃないのね？」局長はサイクスのことばをさえぎるようにいった。

「あたしは協力しているだけ。担当ではないの」またそれを思いだしてしまった。

「さっきもいったように、いくつか確認しているだけ」

「なるほど。まあ、いいでしょう。何かご用のときは、モルグにいますから」局長はそういって、後ろ手にドアをしめた。

まあ、いいでしょう、とは。ガールスカウトの女の子じゃないのよ、あたしは。

サイクスはドクター・ハートのことを考えた。彼はどんな精神状態で、仕事ぶりはどんなふうだったのだろう？　不安を抱えてふさぎこみ、生きる気力を失っていたとしたら、どれだけ仕事に熱意をもっていただろうか？　もし自分が同じような状態だったとしたら、きっといろんなことをいい加減にして、大事なことを見落とすだろう。仕事などどうでもいいと思うかもしれない。

そのことを念頭において、列車による轢死事件の報告書に目をとおした。遺体がバラバラになったこの凄惨（せいさん）な事件は、田舎の二車線のハイウェーにある踏み切りでおこった。貨物列車の機関士の証言によると、その日の朝八時十五分ごろ、急なカーブを曲がったとき、亡くなった被害者が線路の上にうつぶせに横たわっているのが見えた。だが列車をとめるのが間にあわず、轢(ひ)いてしまったという。被害者の名前はマーク・ホランド。年は三十九歳。アッシュヴィル警察の刑事だった。新聞にのった彼の妻キンバリーの話では、夫は前日の夕方、アッシュヴィルの自宅を出てシャーロットへ向かった。そこでだれかと会うといっていた。だれなのかは知らないが、「仕事にかかわる用件」だったようだ。夫はふさぎこんではいなかった。自殺するような理由はまったく思いあたらない。どういうことなのかわけがわからない。夫が自分の意志でこんなことをするはずはない。「昇進したばかりで、子供をつくろうとはりきっていた」のだから。

検屍の結果、マーク・ホランドの頭部に裂傷と、その下に骨折が認められたが（そりゃそうだろう）、その傷は転倒してできたと思われるものだった。ドクター・ハートはふさいでいただけではなさそうだ、とサイクスは思った。彼は思考力を失い、ぼうっとしていたのではないだろうか。ホランドはひそかに証人に会いに行く途中、踏み切りをわたろうとしてつまずき、転倒して気を失ったのではないかというのがシャーロットの刑事の説だった。ドクター・ハートはそれをうのみにしたらしい。この事件を事故として処理していた。

法医学者のレイチェル——ウィンは彼女を「レイク」と呼んでいる——は、微細な穴が無数にあいた金属の板の上に手紙を置いた。スイッチを押し、箱のなかを真空にしていく。

レイクが静電検出装置(ESDA)を使うのを見るのは、ウィンにとってはじめてではない。うまくいったことも何度かある。いちばん最近では、誘拐事件でこれが役にたった。身代金を要求する手紙が書かれた紙は、犯人が以前に電話番号をメモした紙の下になっていたらしく、電話番号の痕が残っていた。それを手がかりに警察がパパ・ジョンズ・ピザの店を調べたところ、犯人がそこで持ち帰り用の注文をして、クレジットカードで代金を払っていたことがわかった。レイクは白い綿の検査用手袋をはめている。手紙を素手でさわってはいない、とウィンがいうと、安心したようだった。筆圧痕の有無をここで調べたあと、緋色(ひいろ)のマフラーをした男がディーゼル・カフェへ置いていったウィン宛ての手紙は、指紋検査室へ送られる。そこでニンヒドリンなどの試薬を使って、処理される。

「ノックスヴィルはどう？」と、レイクがきいた。彼女は黒っぽい髪の、きれいな女性だ。クワンティコにあるFBIの研究所に勤めていたが、九・一一のあとアメリカ愛国法が施行されると、FBIで働くことにいやけがさして、辞職した。「〝デュエリング・バンジョー〟風に、あなたも鼻にかかったしゃべり方をするようになった？」

「それはジョージア北部の話だよ。あの映画、『脱出』の舞台になった。ノックスヴィルはバンジョーではなくて、派手なオレンジ一色だ。どこもかしこも」

「狩猟がさかんってこと？　ハンターは安全のためにオレンジ色の服を着るんでしょう？」

「いや、テネシー大学のフットボールチームのカラーなんだ」

レイクは金属板の上の手紙に、薄いプラスチックのフィルムをかぶせた。ウィンはそれを見るたびに、サランラップみたいだと思う。

「ウィン？」レイクは顔を上げずにいった。「月並みな言い方だけど、今度のことはほんとにお気の毒だったわ」

「ありがとう、レイク」

レイクは、タブと呼ばれる器具でフィルムの表面をなぞった。彼女がこの作業をするときは、いつもオゾンのにおいがする。雨がふりだすときのようだ。

「だれが何といおうと、あなたの行動は正しかったわ」レイクはさらにいった。「それを問題にする人がいるなんて、信じられない」

「問題にしているやつがいるとは知らなかったな」と、ウィンはいった。例のいやな気分がまた頭をもたげてくる。

レイクは、フィルムでおおった手紙を別の容器に移した。トレイにトナーを入れ、飛散させる。「休憩時間にラジオできいたの」

静電気がたまっているため、肉眼では見えないわずかなくぼみ、すなわち筆圧によって紙の上にできた、微小な傷に、トナーが付着する。

「何ていってた？　教えてくれ」ウィンはそういったが、きかなくてもわかっていた。

どうやらだまし打ちにされたようだ。

「あなたが調査を受けている、とラモントがいっていたわ。まるであなたが武器を使ったことが、不当だったといわんばかりに。明日、そのことを大きくとりあげるらしい。いまから予告して、宣伝しているわ」ウィンをちらっと見て、「恩を仇で返すって、まさにこのことね」

「意外ではないよ」ウィンがそういったとき、薄い黒の画像が浮かびあがってきた。いくつかのことばの一部のようだが、よくわからない。

レイクは満足できない様子だ。緋色のマフラーの男がウィンに残した脅迫めいた手紙の、ある部分を示していった。「三次元エンハンスメントをやってみましょう」

トービー・ヒューバーは寒さにふるえていた。エドガータウンのサウスビーチにある、ウィネトゥ・インのバルコニーにすわり、マリファナを吸いながら海をながめている。浜辺を散策する人々もみな、長ズボンにジャケットを着こんでいる。

「なくなったのは確かだ。ただ、どこへ行ったのかがよくわからないんだ」トービーは携帯電話で話している。いらついているが、快い陶酔感にひたってもいる。「いやあ、悪かったな。でも、もうどうでもいいじゃないか、そんなこと」

「それはそっちの決めることじゃないだろう。たまにはしっかり考えろよ」

「だからいっただろ？　あのときだよ、きっと。あそこにあるものを全部ごみ袋に入れて捨てたとき。何もかもだよ。冷蔵庫のなかの食べものやビールなんかもだ。しかもそのごみを八キロも離れたところへ運んで、どっかのレストランの後ろにあるごみ容器に捨てたんだ。どこのレストランだったかおぼえてないけど。ううっ、寒い。何度も調べたけど、とにかくここにはないんだ。寒くて脳卒中をおこしそうだよ……」

部屋の向こうからノックの音がきこえ、ドアがあいた。顔を出したハウスキーパーは、バルコニーから入ってきたトービーににらみつけられて、びくっとした。

「入室ご遠慮願います、の意味がわからないのか？」トービーは彼女をどなりつけた。

「申しわけありません。ドアに札がかかっていなかったので」ハウスキーパーはあわてて立ち去った。

トービーはバルコニーへ戻り、マリファナを一服して、電話にむかってわめくようにいった。「もうここにいるつもりはないからね。いいな？　どっかあたたかいところへ行くんだ。ここは退屈で死にそうだよ。あんたのためにさんざん苦労したんだ。相当いい思いをさせてもらえるんだろうな」

「まだだめだ。突然ロスへ行ったりしたら、あやしまれる。もう二、三日そこにいろ。あれがだれかに見つかったら、面倒なことになる。そうならないように手を打たないと。どこへやったのか考えろ、トービー！」

「もしどこかにあるとしたら、まだあの部屋のなかだな。ええと……」ふと思いついた。ベッドの下を調べたかどうかはっきりしない。そのことをいって、さらにつけ加えた。「あれを読んだとき、ベッドの下につっこんだかもしれない。自分で行って調べたらどうだ？」

「もう調べたよ」

「そんなに大騒ぎするぐらいなら、もう一度行けばいいじゃないか！」

「よく考えろ！　最後にどこで見た？　オフィスに置いてきたんじゃないだろうな……」

「いっただろう。もって帰ったよ。それは確かだ。読んだんだから」

「もって帰って読めとはいってないぞ！」

「ああ、そのことはさんざんきいた。もうやめろよ」

「あれを車に入れて、あそこへ行ったのか？　それでどうしたんだ？　ベッドのなかで読んだのか？　あの写真を見るためにか？　頭がおかしいんじゃないのか？　最後にどこへ置いたんだよ！」

「やめろといっただろう。ヒステリーをおこしたばあさんみたいに騒ぐなよ。ぼくがさがしに行くわけにいかないんだからさ。自分で行って、とっくりとさがせばいいだろう。ぼくがどっかへ置き忘れたのかもしれない。あそこにいるあいだ、いろんなところに置いていたからな。引き出しのなかとか、ベッドのそばの、いろんなものを積み重ねたなかとか、枕の下。洗濯かごのなかにつっこんでいたこともある。いや、乾燥機のなかだったかな……」

「トービー、マーサズヴィニヤード島へはもっていってないだろうな？」

「何度きけば気がすむんだよ！　どうでもいいじゃないか。なくなったからどうだっていうんだよ？　どっちみち、ことは計画どおりいかなかったんだから」

「なくなったのかどうか、はっきりわからないんだろう？　そこが問題なんだ。大問題だ。すぐ見つかるところに置いておけといったのに。出発する直前にそうしろと。ところがそうしなかった。おれの命令を無視したんだ」

「たぶん、ごみにまぎれたんだろう。いろんなものを始末したとき、ごみといっしょに捨てたんだと思うね」トービーはまた一服した。「気にすることがいろいろあったからな。あいつが金のことをしつこくきくし。前払いしろというから、事前に半分わたすといってやった。それなのに、なかなかその金を用意してくれないから……」

「いったいなぜおれは、おまえみたいなやつとつきあうはめになったんだろう？」

トービーは煙を吸いこんでしばし息をとめ、吐きだしながら、「運がよかったからだよ。これまでのところはね。だけどいつまでもそれが続くとはかぎらないぜ」

レイクはソフトウエアの世界に没頭し、ピクセルやZレンジ、ヒストグラムと格闘している。被写体にパンし、ズームし、回転し、光線の角度や表面の反射を調整し、輪郭を強調する。ウィンは平たい大型スクリーンを見つめ、ぼんやり映しだされる拡大された三次元の画像に、注意を集中していた。

文字、それに数字らしきものが見えはじめた。

「小文字のeとrとw、それに3と96かな？」と、ウィンはいった。

もっとある。レイクが操作を続けるうちに、さらにべつの文字や数字があらわれた。どれも妙な形をしている。重なりあっているかのようだ。

「複数のメモ書きの痕が残っているのかな？」ウィンが考えながらいう。

「たぶんそうだと思う。同じメモ帳の、ちがうページに書かれた文字の痕じゃないかしら。ペンや鉛筆で何か書いて、その下のページにまた何か書くと、筆圧が強ければ二、三ページ下にもその痕が残るわ」

レイクはさらに操作し、ふたりで文字を判読した。「三年間の市場優先権」、「OK」、そしてそれに重なるようにして「$8・96」と、「以前の予想の$6・11から上昇」という文字が、かろうじて見えた。

10

モニーク・ラモントは、大理石とサクラ材の内装のキッチンにすわっている。ここはビーコンヒルのマウントヴァーノン・ストリート。だれもが住みたがるボストン随一の高級住宅地だ。彼女はその日の一杯目のマティーニを飲んでいる。フリーザーからとりだしたグラスに入れたそれは、高級ウォッカのグレイグースで作ったものだ。ストレートアップで、ピメントを詰めたグリーンオリーブがそえてある。

ラモントはジーンズにゆったりしたデニムのシャツという服装だ。それまで身につけていたウォームアップスーツは、この建物の裏のごみ容器に捨てた。れんが造りのこのアパートメントは、十九世紀に建てられたものだ。そのなかにあるラモントの部屋は、だれにも知られない安全な隠れ家だった。しかし今朝、サミーがこの場所を警察に知らせてしまった。この付近を警官にパトロールさせる必要があるから、というのだ。ケンブリッジの自宅へは、まだ戻らないほうがいい、と彼は主張した。そういわれなくても、もうあそこへ戻るつもりはなかった。あのときの裏口とキーボックスとガソリン缶の映像は、寝室にいるあの男の姿とともに、頭から消えることはないだろう。あいつは彼女の頭に銃をつきつけて、やりたいようにした。彼女を自分と同じような、ちっぽけな卑しい人間、とるにたりない存在におとしめたのだ。

「あいつを自分で殺してやりたかったわ」と、ラモントはいった。

ヒューバーはテーブルの向かい側にすわり、二杯目のビールを飲んでいる。彼はラモントをまともに見ることができなかった。眼の筋肉が突然麻痺(まひ)したかのように、視線をそちらへ向けられない。

「なんとかこれを乗り越えないといけないよ、モニーク」と、彼はいった。「そういえるのはひとごとだからだってことは、わかっている。でもきみは理性を失っているよ。この状況では無理もないけどね」

「うるさいわね、ジェシー。あなただって、自分にこんなことがおこったら、騒ぎたてるにきまっている。そのときにわかるわ、人の身になるとはどういうことか」

「ほかのことをすべてめちゃめちゃにしたら気がすむとでもいうのか？　このアパートのことは話すべきではなかった」

「じゃ、どうすればよかったの？　警察の保護を受けるのを拒否するの？　この事件の黒幕がだれか、あいつをそそのかしてあんなことをやらせたのが何者かわからないのに」

「黒幕が存在するかどうか、わからないじゃないか」

「ホテルへ行けばよかったとでも？　そしてロビーに足を踏みいれたとたん、待ちかまえていたメディアの連中に、もみくちゃにされるわけ？」

「メディアへは自分から行ったんだろう」ヒューバーは沈鬱（ちんうつ）な面持ちでいった。「きみのたれ流した汚物を、あちこちに視線をやり、冷静に何かを考えているようだ。あちこちに視線をやり、冷静に何かを考えているようだ。「きみのたれ流した汚物を、なんとか始末しなきゃならない」

ヒューバーほど下品なたとえを口にする人間はいない、とラモントはいつも思う。

「なぜ彼にあれをさせたの？　文書検査室はいま使えないとか、レイチェルは不在だとか、手がふさがっているとでもいえばよかったのに。軽率だったわね、ジェシー」

「ウィンはいわば科学捜査研究所の特別会員だからね。それに、あいつはすばらしく頭がいい。検査ができない理由をこちらがいろいろあげたら、すぐに何かあると気づくだろう。わたしを父親のように信頼しているんだ」

「それじゃ、あなたが思ってるほど頭はよくないわ」ラモントはマティーニをゆっくり飲みほしオリーブを食べた。

「きみはハーヴァード出だってことが自慢なんだろうけど」ヒューバーは立ちあがりフリーザーをあけてグレイグースのびんと冷えたグラスをとりだし、彼女のためにもう一杯マティーニを作ったが、オリーブをそえるのを忘れた。

ラモントは彼がテーブルに置いたマティーニを見つめた。いつまでも目をはなさず、オリーブを忘れたことを彼に気づかせる。

「あの男のＩＱがどれくらいか知ってるか？」ヒューバーが冷蔵庫に頭をつっこんでいった。「きみもわたしも、とうていかなわないほど高いんだぞ」

ラモントはあの情けない場面を思いうかべた。ウィンが彼女を見て、自分の上着をわたし、深呼吸するよう指示している。裸にされ、力を奪われた屈辱的なラモントの姿を、彼は見ている。

「ところが、おかしなことにあいつはテストが苦手なんだ」ヒューバーはことばを続け、もう一本ビールをあけた。「高校ではすばらしい成績をとっていて、卒業するときは総代だった。将来もっとも成功しそうで、もっともルックスのよい人物にも選ばれた。あらゆる点でずばぬけていた。ただ、ちょっとした問題がひとつあった。大学進学適性試験の結果がよくなかったんだ。大学卒業後は、大学院進学試験にも、ロースクール適性試験にも失敗した。テストと名のつくものは、すべからく苦手なんだな。ふだんの実力が出せないんだ」

ウィンはボストングローブ社へ来なかった。命令を無視した。もはやラモントに敬意をはらわなくなった。彼女のあんな姿を見たために……。

「そういう人間がいるらしいね」ヒューバーはまた腰をおろした。「知能は高いのに、試験の成績はよくない」

「彼の学習障害の話には興味ないわ。ウィンがやった検査で、どんなことがわかったの?」ウォッカのせいで舌がふくれてなめらかさを失い、思考がとぎれがちになってきた。「というか、何がわかったと彼は思っているの?」

「おそらく彼には意味がわからないだろう。どっちみち、あんなものは何の証拠にもならない」

「質問に答えてよ!」

「なじみの株式ブローカーとの、電話の会話をメモしたものだ」

「なんてことよ」

「心配ないって。指紋や何か、あの手紙をわたしと結びつけるようなものは、一切見つからないはずだ。こと科学捜査については、まかせてくれ」彼はにやっとした。「ウィンはきみを疑っているんじゃないかな。たぶんきみが黒幕だと思っているね。あれを書いたのはロイだと思っているかもしれない。自分を混血野郎と呼んだのは、彼だと」そういって笑う。「あれには怒っただろうな」

「また例によって、よく考えもせずに危険なことをやったのね」ヒューバーは勝手にあれをやった。やってしまってから、彼女に話した。ラモントが事情を知っていれば、それに関与したことになるからだ。それが当初からの彼の戦略だった。

「いったとおりだったろう」ヒューバーはビールを飲んだ。「脅したり侮辱したりして、事件から手をひくように促すと、あいつはかえって喰らいついてくるんだ。ピットブルのように」

ラモントは無言でマティーニを飲んだ。はめられたような気分だった。

「そんな必要はなかったのに。彼はもともとピットブルみたいな人間なんだから」

「直接会って話す、ときみがいいはったせいだよ。電話ですませればよかったのに。あいつをそのままノックスヴィルに置いておくべきだった」ことばを切り、顔をひくつかせていった。「ひょっとして、やつに気があるんじゃないのか？　どうもそんな感じだな」

「いい加減にしてよ、ジェシー」

「もちろん、彼がこっちにいたことは幸運だった。神のはからい、きみの守護天使、生きる権利。まあ、何であれ」ヒューバーは平然と続けた。「ウインは腹をたてて、きみに会いにいった。わたしのちょっとした策略が、大いに役にたった。おかげできみは死なずにすんだんだ、モニーク」

「残念だったわね」

「モニーク……」

「まじめにいってるのよ」ラモントはひるまず、ヒューバーの視線を受けとめた。いまや彼を憎んでいることに気がついた。ヒューバーが不幸な目にあい、苦痛と貧困のなかに死ぬことを願っている。さらにいった。「トービーに戻ってきてほしくないわ。あの子は役立たずよ。あなたの頼みに応じるのは、もうたくさん。これっきりにしてちょうだい」

「ちょうどいい。あいつもきみのもとで働くのがいやでたまらなかったんだ」

「あなたにはもううんざりよ、ジェシー。ずっと前からそう思っていたの」ウォッカのおかげで、いいたいことがいえる。「ヒューバーなんか、くそくらえだ。「もう調子を合わせるつもりはないといったでしょう。本気よ。そうするだけの価値がないもの」

「そんなことはないだろう。望むものを手に入れたじゃないか、モニーク。自分にふさわしいものを」と、ヒューバーはいった。何をいわんとしているのかは明白だ。

ラモントは愕然（がくぜん）として、彼を見つめた。「わたしにふさわしいものですって？」

ヒューバーは目をそらさない。

「あのことが？　あれがわたしにふさわしいものだったというの？　なんてことを！」

「いや、きみはいろいろ努力しているから、その見返りを手に入れて当然という意味だよ」ヒューバーは、視線を動かさなかった。ラモントを見つめるその目には生気がなく、何の感情も見られない。

彼女は泣きだした。

月は細く、あたりは暗かった。

ウィンは祖母の古びたビュイックの運転席の窓をあけ、道路のまんなかで車をとめた。ミス・ドッグがまたあてもなく、通りをさまよっている。老いた犬の見えない目に、行き交う車のヘッドライトが反射する。

「もう許せない」ウィンは怒りをあらわにした。「おいで」口笛を吹いて呼んだ。「おいで、ミス・ドッグ。なんでまた通りをうろついているんだ？　彼女がドアをしめ忘れたのか？　あのぐず女がおまえを外に出したまま、しめだしてしまったのか？　それともあいつの義理の息子のげす野郎が、またおまえをほうりだしたのか？」

ミス・ドッグはしっぽを巻いてうなだれ、何か悪いことをしたかのように、腹ばいになった。ウィンはそっと彼女を抱きあげ、きこえているのだろうかと思いつつことばをかけ、車に乗せた。車を走らせながら、どこへつれていこうとしているのか、これからどうなるのかを話す。きこえているのかどうかは、わからない。ミス・ドッグはウィンの手をなめた。祖母の家の裏に車をとめた。ウィンドチャイムがかすかに鳴っている。晴れた夜で、空気はひんやりしている。風はほとんどない。ウィンドチャイムのやわらかな音は、秘密を打ち明けてでもいるようだ。ウィンは裏口の戸の鍵をあけた。毛皮のじゃがいも袋でもかつぐように、ミス・ドッグを肩にのせている。

「おばあちゃん？」

テレビの音をたどっていく。

「おばあちゃん？　家族がふえたよ」

サイクスは一時間以上、電話をかけ続けていた。古参の警察関係者のあいだを、たらいまわしにされている。二十二年前というと、そうとう昔だ。いまのところ、アッシュヴィル警察署でマーク・ホランド刑事をおぼえているものはいない。

ノックスヴィルへむけて西へ車を走らせながら、またべつの番号をダイアルした。

対向車のヘッドライトのせいで、手元がよく見えない。年はとりたくない、とあらためて思う。本当に目が悪くなった。眼鏡をかけないとメニューが読めないし、夜はものが見えにくい。あの航空会社のせいだ。遅れたりフライトをキャンセルしたり。おかげでレンタカーは一台しか残っていなかった。四気筒のこの車は、のろいことこのうえない。

「ジョーンズ刑事とお話ししたいのですが」サイクスは電話に出た男性にいった。

「その肩書きで呼ばれるのは、ひさしぶりだな」相手は愛想よくいった。「どなたかな？」

サイクスは自己紹介して、続けた。「八〇年代にアッシュヴィル警察の刑事でいらしたんですよね。マーク・ホランドという刑事のことをおぼえています？」

「あまりよくおぼえていないな。彼は刑事になって二、三ヵ月で死んでしまったから」

「その事件に関して何かご存じですか？」

「強盗事件の目撃者の話をきくという名目で、彼がシャーロットへ行ったことだけね。わたしにいわせれば、あれは事故ではない。地元で自殺すると、同僚がその捜査をすることになる。それを避けたかったんだと思う」

「自殺の理由については、何か心あたりがありますか？」

「奥さんが浮気しているという話だったね」

祖母はいつものように丈の長い、黒いローブを着て、カウチでうたたねしていた。束ねていない長い白髪がクッションの上に広がっている。テレビではクリント・イーストウッドが、大きなかっこいい拳銃で、だれかをやっつけている。

ミス・ドッグを下におろすと、犬はすぐに祖母のひざに頭をのせた。動物は必ず祖母にはそうした反応を示す。彼女は目をあけ、ウィンを見ると両手をのばした。

「おまえかい」そういって、ウィンの顔にキスする。

「また警報装置がセットされてなかったよ。こうなったら、番犬を飼ってもらうしかないね。これはミス・ドッグだ」

「ようこそ、ミス・ドッグ」彼女は犬をなで、やさしくその耳をひっぱった。「心配しなくていいよ、ミス・ドッグ。ここにいれば見つからないから。あの意地悪女。目に浮かぶわ。あの歯のぬけた顔」ミス・ドッグをなでながらいう。「心配はいらないよ。いい子だね。ああいった連中をどうやって始末すればいいか、わかっているからね」彼女は怒りをこめていった。

祖母を怒らせるには、動物をいじめるのが早道だ。そうすれば彼女は深夜、謎めいた行動に出るだろう。悪いやつの庭に一セント銅貨を九百九十九枚、投げいれるのだ。魔術の女神ヘカテへの捧げ物だ。ヘカテは残酷な人間を懲らしめるすべを知っている。

ミス・ドッグは祖母のひざの上でぐっすり寝込んでいる。

「腰が痛むんだね」と、祖母がいった。「関節炎だろう。歯茎も炎症をおこしている。痛くて、気分もめいっているようだ。あいつにどなられてばかりだからね。あの太った、不満だらけの、性悪女に。あの女は自分自身も犬も、痛めつけるんだ。かわいそうにね、おまえ」と、いびきをかいて寝ているミス・ドッグをなでる。「何があったかは知ってるよ」今度はウィンに向かっていった。「テレビで大きくとりあげられているからね。でも無事でよかった」そういって彼の手をとる。「おまえのお父さんが、あの男をぶちのめしたときのことをおぼえているかい？　三つ先の通りに住んでいたやつ」と、指さす。「ああするしかなかったんだよ」

祖母が何の話をしているのか、ウィンにはよくわからなかった。めずらしいことではない。祖母の世界は必ずしもわかりやすくはないし、論理的でもない。

「おまえは四つだった。その男の息子――その子は八つだった――が、おまえを地面に押し倒して、けりながらさんざんののしった。おまえのお父さんのことも侮辱した。人種差別的なことをいって。お父さんはそれを知ると、その親子の家へのりこんでいったんだ」

「殴りあいをはじめたのは父さん？」

「いいや、相手のほう。でも終わらせたのはお父さんだった。しかたのないことだね。ともかくおまえは無事だった。あそこへ戻ってあたりをさがしてごらん。ナイフが見つかるよ」

「ちがうよ、おばあちゃん。銃だよ」

「ナイフもある。柄にこんなのがついたやつ」と、宙に描いてみせる。短剣のような、つばのついたナイフだろうか。「さがしてごらん。おまえが殺した、あの男。そのことで自分を責めてはいけないよ。あいつは悪人だったんだから。でももうひとりいる。もっとたちの悪いのが。邪悪なやつ。今朝、あのハチミツをマフィンにつけて食べてみたよ。テネシーは善良な人たちがたくさんいる、素朴な土地だ。行政はあまりよくないけど、人はいい。ハチは行政のことなんか気にしないから、あそこが気に入っている。そしてせっせとハチミツを作るんだね」

ウィンは笑って、立ちあがった。「これからノースカロライナへ行こうと思うんだ」

「まだだめだよ。ここでやり残したことがある」

「たのむから警報装置をセットして、おばあちゃん」

「ウィンドチャイムがあるから大丈夫。ミス・ドッグもいるし。今夜は月が金星と一直線にならんで、天蠍宮（てんかつきゅう）に入っている。いろいろと思い違いをしているようだね、ウィン。まどわされているんだ。でも、そろそろはっきりしてくるよ。彼女の家へ行ってごらん。わたしのいっているものが見つかるから。ほかにも何かあるはずだ」祖母は宙を見つめた。「どうしてだろう？　頭上に垂木（たるき）のある小さな部屋が見える。それに狭い階段。合板でできているような」

「ぼくが忙しくて、いまだにこの家の屋根裏部屋を片づけないからじゃないか」と、ウィンはいった。

11

翌朝、サイクスと全米法医学アカデミー所長のトムは、しゃがんで使用ずみの薬莢(やっきょう)をひろいながら、カニのように芝生の上を移動していた。

ノックスヴィル警察の射撃練習場では、練習の後始末は自分でやることになっている。生徒たちはまた、アカデミーで研修を受けられるという恩恵をむだにしないよう、努力することも求められていた。授業に出席することは、いうまでもない。サイクスは寝不足で、憂鬱な気分だった。まわりのクラスメートたちを見まわした。青いカーゴパンツにポロシャツ、縁なし帽という　いでたちの十五人の男女が、ライフルやピストル、弾薬をゴルフカートに戻している。八時からの授業の後片づけをしているところだ。授業では弾道と、薬莢の排出について分析した。位置の目印に小さなオレンジ色の旗を立て、犯罪現場でするように写真をとった。

サイクスはほかの生徒たちからさげすまれ、避けられているような気がして、情けなかった。みんな彼女のことを、科学捜査官の風上にも置けぬ、調子のいいやつと思っているにちがいない。おもしろそうな授業のときだけ出てくる、と。たとえばAK

-四七やグロック、十二番径の暴動鎮圧用散弾銃で、彼女が「ろくでなしのターゲット」と呼ぶ標的を撃つ、今日の授業。サイクスはこの標的が気に入っている。ふつうの的の中心をねらうより、ピストルをかまえた紙の悪漢に弾を撃ちこむほうが、ずっと心地よいからだ。サイクスはトムと共用しているプラスチックのバケツに、真鍮(しんちゅう)の薬莢をいくつか放りこんだ。カチン、カチン、と音がする。空気は湿気をふくんで重く、遠くに見えるグレートスモーキー山脈は、その名のとおり、けぶっている。

「いまのところ、ノックスヴィル警察にとって形勢がよくない状況なの」と、サイクスは説明しようとした。汗が目に流れこむ。

「昨日の授業では、鈍器と、パターンのある傷のことをやった」トムはまたひとつ薬莢をバケツに入れながらいった。

「おもしろいわね」サイクスは芝生をかきわけて、薬莢をひろっている。「彼女の死因もそれだった。鈍器で殴られたの」カチン。「パターンのある傷も見られたそうよ」カチン。「ウィンの話では、頭蓋骨に穴があいていたというの。ハンマーで殴られたような」カチン。「だからあたしは授業に出なくても、そのことを勉強しているわけ」

「薬物乱用による死、乳児突然死症候群、児童虐待についての授業にも出なかったね」と、トムは続けた。芝生の上を移動しながら、さらにバケツに薬莢を入れていく。

「なんとか埋め合わせるわ」サイクスはそういったものの、自信がなかった。ウィンがいないから、手伝ってもらうこともできない。

「ぜひそうしてくれ」トムは立ちあがり、背中をのばした。若々しい顔に深刻な表情をうかべている。わざとかもしれない。

彼はきびしい人間のふりをしているが、実はそうではないことをサイクスは知っている。トムが子供といっしょにいるところを見たことがあるのだ。

「ノックスヴィル警察にとって形勢が不利って、具体的にはどういうこと？」と、トムがきいた。

サイクスはジミー・バーバーの家の地下室のことや、バーバーが規則に違反してケースファイルを自宅にもち帰り、いまはその所在がわからなくなっていること、そして凶悪な殺人事件に対して、きわめてずさんな捜査がおこなわれたように見えることを説明した。ややおおげさに、ドラマチックに話したのは、授業に出ないことよりも彼女がやっていることの重要性の方に目を向けてもらいたいと思ったからだ。

「だれかの非を暴く(あば)つもりはないんだけど。でももしあたしがこの件から手をひいてしまったら、どうなる？　ウィンとあたしが、かかわるのをやめたら？」

「ウィンのために言い訳することはないよ。あいつが自分で釈明すればいい。もし彼が姿をあらわせばの話だけど。それに、これはウィンの事件だよ、サイクス。地区検察局が彼に捜査を指示したんだ」

この事件はウィンの担当かもしれないが、サイクスにはそうは思えない。もっぱら自分がこき使われているような気がする。

「それに、ノックスヴィル警察の捜査に問題があったということにもならないよ。昔の事件だからね、サイクス。この二十年間に、法執行の世界はめざましく変化した。そのころは、身元を特定するための技術しかなかったんだ。いまははるかに進歩している」トムはまわりの生徒たちを見まわした。

「とにかく、この事件をほうりだして、逃げだすことはできないわ」

「アカデミーの生徒は、何かをほうりだして逃げるようなまねはしないよ」トムのことばには、思いやりが感じられる。「それじゃ、こうしよう。明日の授業は銃創についてだ。弾道検査用ゼラチンで作ったダミーを使って実習する」

「わあ、いいな」サイクスは「ろくでなしのターゲット」にもまして、この「ゼリー・マン」を撃つのが好きだ。

「これはほかの項目ほど重要ではないから、出なくてもいい。後日、時間を見つけてきみに射撃練習をさせてあげるよ。でも来週はずっと血痕のパターンの分析をやる。これにはぜったい出席してほしい」

サイクスはダークブルーのキャップを脱いで額の汗をぬぐい、ほかの生徒たちが更衣室へ、トラックへ、そして輝かしい未来へ向かって去っていくのをながめた。

「月曜日まで時間をあげるよ」と、トムはいった。

「何もないね」ウィンは、キーキー鳴る木の階段をきしらせながら、おりてきた。わずか数日前の深夜にも、階段が大きな音をたてたことを思いだした。あの日を境に、彼の人生はがらりと変わった。

「ほらね。ぼくたちもかなり本気で探偵ごっこをしたんだ。事件後にあちこちを調べたけど、家のほかの部分は犯行にかかわっていない」サミーが暖炉のそばの安楽椅子にすわっていった。暖炉はステンドガラスのスクリーンでおおわれている。「彼女の話と符合するよ。犯人はラモントの後ろから入ってきて、彼女を寝室へつれていった。それだけですんだ。きみのおかげで」

「それだけじゃないんだ、残念ながら」ウィンはあたりを見まわした。

ガラス製品であふれているのは、ラモントのオフィスだけではなかった。ウィンはこんな家を見たことがない。どの部屋の照明も、ウィンが寝室で砕いたのと同じタイプのものだった。風変わりな半月形のライトが、鍛鉄（たんてつ）の鎖の先にぶらさがっている。手塗りのカラフルなライトには、ウッラ・ダルニのサインがある。おそろしく高価なものにちがいない。ダイニングルームのテーブルもガラス製だ。クリスタルのボウルや置物、工芸ガラスの鏡、花瓶などが、いたるところに飾られている。

「わかっただろう」サミーはゆっくり立ちあがって、ためいきをついた。疲れきって、動きたくないとでもいうようだ。「やれやれ。新しい背中がほしいよ。気がすんだか？　そろそろ行こうや」

「ガレージがあるだろう」ウィンが思いださせるようにいった。

「あそこにはもう行ったよ。何もなかった」

「ぼくはまだ行ってない」

「それじゃどうぞ」サミーは肩をすくめ、いっしょに外へ出た。

ガレージは、一八〇〇年代後半に馬車置き場として建てられたものだ。れんが造りでスレートの屋根がついている。いまはいささかくたびれた感じで、カシの古木の低い枝に半ばおおわれている。

サミーが横の入り口の鍵をとりだしてあけようとしたとき、錠が壊れていることに気づいた。こじあけられているのだ。

「この前来たときは、こうなっていなかった……」サミーは銃をぬいた。ウィンはすでに銃をかまえている。

サミーがドアを強く押すと、ドアはなかの壁にぶつかった。彼はピストルをおろし、ホルスターに戻した。ウィンも自分の三五七口径銃をおろし、ドアのすぐ内側に立って、あたりを見まわした。コンクリートの床の上に油のしみや、汚れたタイヤの痕がついている。ガレージにそうしたものが見られるのは、ふしぎではない。ハンガーボードに下がっているのも、ごくふつうの庭仕事用の道具だ。隅に芝刈り機と手押し車、それにプラスチックの一ガロン入りガソリン缶が置かれていた。缶は中身が半分入っている。

「例のガソリン缶は、ここからもちだしたのではないようだな」と、サミーがいった。

「そりゃそうだよ」と、ウィンは応じた。「放火するつもりなら、ふつう自分で燃焼促進物をもっていくだろう」

「内部のものの犯行なら別だが。家族のあいだのトラブルとか。そういうケースもずいぶん見たよ」

「この事件はそうじゃない。ロジャー・バプティスタが、家庭内のいざこざの果てに犯行に及んだのではないことは、確かだ」ウィンは梁(はり)がむきだしの天井から下がった、ロープを見ている。折りたたみ式のはしごの手すりだ。

「あそこは調べたか？」

サミーは顔を上げてウィンの視線の先を見た。「いや、調べてない」


チューダー様式の堂々とした邸宅の窓が、陽に輝いている。真っ青な水をたたえたテネシー川は、目の届くかぎり両方向へゆったりと湾曲している。サイクスは古いVW(フォルクスワーゲン)ラビットをおりた。デニムのパンツスーツを着たところは、気のいい中年の不動産業者のように見えるだろう。

殺害されたヴィヴィアン・フィンリーの邸(やしき)の、現在の所有者である実業家が、いまは不在であることは確かめてある。二十年前に、七十三歳の女性がこの豪華な邸のなかで撲殺されたことを、彼は知っているのだろうか？　知っていたとしても、気にならないのだろう。たいしたものだ、とサイクスは思った。あたしだったら、だれかが殺された家には絶対に住まない。たとえ、ただであげるといわれても。ミセス・フィンリーを殺害した犯人は、どうやって家のなかに入ったのだろうと考えながら、家のまわりを歩きはじめた。

まず玄関があり、家の両側面には窓がたくさんある。しかしそれらはみな小さいし、この住宅街のまんなかで、白昼、窓から侵入するとは思えない。家の裏手に近いドアは、地下室へ通じているようだ。川に面して、もうひとつドアがあった。その両側の窓から、モダンなキッチンが見える。タイルとみかげ石をふんだんに使い、ステンレスの器具を備えたりっぱなキッチンだ。

サイクスは裏庭に立ち、花や青々とした木々、川石を積み上げて作った低い石垣、そしてその先の桟橋と川をながめた。モーターボートが、スタントスキーヤーをひっぱりながら、爆音をあげてとおりすぎるのを見てから、ある番号に電話した。サイクスにとって最後となるかもしれないアカデミーの授業に出席したあと、車でここへ来るあいだに携帯電話に登録しておいたものだ。

「セコイア・ヒルズ・カントリークラブです」ていねいな声が応答した。

「事務所をお願いします」サイクスがいうと、電話はそちらへまわされた。「ミシー？　さきほど電話した特別捜査官デルマ・サイクスですけど」

「これだけはわかりました」と、ミシーがいった。「ヴィヴィアン・フィンリーは一九七二年の四月から一九八五年の十月までうちのメンバーで……」

「十月？　彼女は八月に亡くなったのよ」サイクスは口をはさんだ。

「きっとご家族が十月までメンバーシップの解約手続きをしなかったのでしょう。しばらくそのままになっていることが多いの。みんなカントリークラブのメンバーシップのことなんか、考えもしないのね」

サイクスは自分がとるにたりない人間のような気がした。カントリークラブやメンバーシップのことなど、何も知らないのだ。

「ミセス・フィンリーは正会員だったんです」と、ミシーが説明している。「つまり、テニスとゴルフが両方できたわけ」

「そのファイルにはほかにどんなものが入っているの？」サイクスは石垣に腰かけてきいた。人の所有地へ入りこんだり、休暇をとったりせずに、海や川を見たいものだと思う。自由に川を楽しめるほどお金があったら、どんなにいいだろう。

「どういう意味？」

「つまり、請求明細書のようなものは入ってないかしら。彼女がどんなものを買って、どんなことをしたかを、具体的に示すもの。たとえば、プロショップでテニスウエアを買ったとか」

「業務にかかわる書類は全部とってあるけど、事務所にはないわ。倉庫に保管してあるはず……」

「彼女宛ての請求書が必要なの。八五年度の分を全部」

「ええっ、約二十年分のなかからさがしださなきゃならないのよ。どれぐらい時間がかかるか……」うんざりしたように、ためいきをつくのがきこえる。

「さがすのを手伝うわ」と、サイクスはいった。

ラモントの家のガレージは、二階部分がゲストハウスに改造されていた。使われたことはないように見えるが、だれかが歩きまわったらしく、こげ茶色のカーペットに踏んだ跡があり、すこし土がついている。かなり大きな足跡だ。靴底のもようは、二種類ある。

壁はベージュ色に塗られ、サイン入りの版画がいくつか飾られている。ヨットや、海の風景などだ。茶色のベッドカバーがかかったシングルベッド、ナイトテーブル、小型のドレッサー、回転椅子、それに机が置かれている。机の上にあるのは、インクブロッターと緑色のガラス製ランプと、短剣のような形の真鍮（しんちゅう）のペーパーナイフだけだ。家具はすべて、安価なメープル材だ。小さなバスルームには、洗濯機と乾燥機が重ねて置いてある。きちんと片づいていて、きれいだ。ここも使われた形跡はないが、やはり靴で踏んだ跡がカーペットの上に一面についている。

「何かあるか？」合板の折りたたみ式はしごの下から、サミーがどなった。「上がっていこうか？」

「必要ないよ。そもそも狭くて無理だ」ウィンは穴から下をのぞき、白くなりつつあるサミーの頭に向かっていった。「だれかがここに泊まって仕事をしていたようには、見えないね。もしそういう人がいたとしたら、徹底的に掃除して出ていったんだな。でもだれかが、もしかすると複数の人間が、このなかを歩きまわったことは確かだ」

ウィンはポケットからラテックスの手袋をとりだしてはめ、引き出しをあけはじめた。全部あけ終わると、四つんばいになってドレッサーとベッドの下を見た。なぜかあらゆるところを調べたほうがいいような気がした。何をさがしているのか、自分でもわからない。ただ、片づけて掃除機をかけたあとに、だれかがここに入りこんだように見える。何のために？　下の鍵のかかったドアをこじあけたのは、だれだろう？　ラモントが殺されそうになったあと、だれかがここに来たのか？　もしそうなら、その人物は何をさがしていたのだろう？　ウィンはクローゼットをあけ、キチネットとバスルームのシンクの下の戸棚もあけた。居間のまんなかに立って、またあたりを見まわすと、オーブンに視線がいった。近づいて扉をあける。

下の段に、ぶ厚い茶封筒がのっていた。宛て先の地区検察局と、返送先のノックスヴィル市内の住所が手書きされ、切手がたくさん貼ってある。必要以上の枚数で、急いで貼ったらしく、ゆがんでいる。

「驚いたな」

封筒は封を切ってある。ウィンは机の上の短剣のようなペーパーナイフに目をやり、ゴム輪で束ねられた厚いケースファイルをとりだした。

「なんてこった！」ウィンは声をあげた。

サミーがはしごをのぼってくる音がきこえた。

「例のケースファイルだ。彼女がずっとここに置いていたんだ」いや、そうではないかもしれない。「あるいは彼女以外のだれかが」

「えっ？」サミーが困惑したような顔を穴からのぞかせた。

「フィンリー事件のファイルだよ」

サミーはロープの手すりにつかまり、それ以上はのぼらず、「えっ？」とまたいった。

ウィンはファイルをかかげて見せた。「彼女は三ヵ月も前にこれを手に入れていたんだ。ぼくがアカデミーに入る前、そこで研修を受けろという指示を、まだぼくに出してもいない時期だ。まいったな」

「おかしいな。もしノックスヴィル警察がラモントにそれを送ったのなら、きみがさがしはじめたときに、そのことを話すはずだ」

「名前は書いてない」ウィンはまた返送先を見ている。「住所だけだ。どこかわからないな。消印の日付は六月十日だ。郵便番号は三七九二一。ウエスタン・アヴェニュー、ミドルブルック・パイクのあたりだ。ちょっと待ってくれ」

サイクスに電話して、疑問の答えを知ると、ウィンは気持ちが落ち着いてきた。いろいろなことがわかってくると、いつもそうなる。返送先の住所は、ジミー・バーバーのものだった。

「どうやらバーバーの、のんだくれの奥さんは、きみより先に地下室をあさったようだな」ウィンはサイクスにいった。「フィンリー事件のファイルをこっちへ送ったらしい。ずっとオーブンのなかに隠してあったんだ」

「なんですって？　あの意地悪女、あたしにうそついたのね！」

「そうともかぎらないよ。何をさがしているのか、彼女にいった？」

沈黙。

「サイクス？　きいてる？　彼女にいったのか？」

「いってないわね、そういえば」

ウィンは二時半に、祖母のおんぼろビュイックを家の裏にとめた。昼間なのでウィンドチャイムがよく見える。木々のあいだや軒下で長い筒がゆれているさまは、夜ほど神秘的には見えない。

バスケットフープのそばに、茂みに隠れるようにしてべつの車がとまっていた。古びた赤いミアタだ。固定電話を使う必要があったが、いまは自分のアパートへ戻りたくなかった。なぜか近づかないほうがいいような気がした。警官、あるいは錠をこじあけてガレージへ入りこんだ人物が、近所をうろついているかもしれない。ドアをノックして、裏口からキッチンへ入った。祖母が、取り乱した様子の若い女性と向きあってすわっている。女性は一組のタロットカードを、三つの束に分けているところだ。祖母の特製の、シナモンスティックとレモンの皮を入れたホットティーが置かれている。カウンターの上には、テネシーのハチミツとスプーンがのっていた。

「紅茶に何を入れたと思う？」祖母がカードに手をのばしながら、ウィンにいった。

「おまえがもってきてくれた、幸せなハチがつくった特別なハチミツ。こちらはスージー。いまスージーの亭主を始末しているところ。接近禁止命令が出されているのに、したがわないんだって」

「彼、逮捕されたことは？」ウィンはスージーにきいた。二十代の、きゃしゃな感じの女性だ。泣きはらした顔をしている。

「孫は刑事なんだよ」祖母は紅茶を飲みながら、誇らしげにいった。カッカッと爪の音をさせて、ミス・ドッグが入ってきた。

ウィンが床にすわってなでてやると、ミス・ドッグは、おなかをかいてほしいとねだった。スージーがいう。「二回逮捕されているわ。でも何の役にもたたない。マットは保釈金を払って、すぐに出てくるから。ゆうべもママの家へやってきたの。生け垣の後ろで待っていて、わたしが車からおりたらそばへ来た。彼はわたしを殺すわ。きっと。だれもわかってくれないの」

「そんなことはさせないよ」と、祖母がいう。

「お母さんはどこに住んでいるの？」ウィンはそうききながら、ミス・ドッグが驚くほど元気になったことに気づいた。見えない目が、いきいきしている。まるで笑顔をうかべているようだ。

「このすぐそばよ」スージーは、なぜそんなことをきくの、とでもいいたげに答えた。「知ってるはずよ」といって、ミス・ドッグに目をやる。

そうか。スージーの母親がミス・ドッグの飼い主なのだ。なるほど。「ミス・ドッグを返すつもりはないよ」ウィンはきっぱりいった。

「どうぞ。わたしは黙ってるわ。ママはミス・ドッグをとても邪険に扱うの。マットはもっとひどいわ。わたしもあなたと同じことを、いい続けてきたのよ。ほうっておくとミス・ドッグは車に轢かれてしまうって」

「ここにいれば安全だよ」と、祖母がいう。「ゆうべはあたしのベッドで寝たんだ。猫たちといっしょに」

「お母さんはきみをマットから守ってくれないんだね」ウィンは立ちあがった。

「どうすることもできないの。マットはママの家のそばを堂々と車でとおるし、勝手に家のなかにも入ってくる。ママは何もしないわ」

ウィンは電話のある居間へ行った。祖母のクリスタルや神秘的な品々のあいだにすわり、ドクター・リードに電話した。彼はカリフォルニアにあるDNA研究所で働く遺伝学者で、フィンリー事件で見つかった血染めの衣服の分析をおこなっている。ドクター・リードはいま電話会議中なので、三十分後にこちらからかけます、と応対してくれた人がいった。

ウィンは家を出て、ミス・ドッグの家、というより元の家へ向かって歩きだした。たぶん以前にマットを見かけたことがある。あいつにちがいない。背が低く、太っており、あちこちに入れ墨を入れている。いかにも弱い者いじめをしそうなタイプだ。

携帯電話が鳴った。サイクスからだ。

「邪魔しないでくれ。これからけんかをはじめるところなんだ」

「すぐ切るから」

「今日は冗談をいう気分じゃないのか？」

「あまりいいたくないんだけどね。もし月曜日までに授業に戻らないと、あたしたちアカデミーを退学させられるわ」

そうなったら、ウィンよりサイクスのほうが失望が大きいだろう。マサチューセッツ州警察は自前の科学捜査官を抱えているから、ウィンがわざわざ現場へ出向いて証拠を集める必要はない。それに目下のところ、彼は科学捜査研究所などの機関の責任者になりたいとも思っていない。ウィンがやる気をなくしたのは、自分がテネシーの全米法医学アカデミーへ送られた理由に、疑問をもちはじめたからかもしれない。それはフィンリー事件の捜査を担当させるため、何らかの利己的で政治的な目的に利用するためだったのではないか？　もはや裏でだれが何をしているのか、わからなくなってきた。

「ウィン？」と、サイクスがいっている。

一ブロックほど先の左手に、家が見えた。私道にシボレーの白いトラックが停まっている。

「大丈夫。ぼくが何とかするから」と、ウィンはいった。

「無理よ！　あたしテネシー州捜査局（TBI）ににらまれて、きっとくびになるわ。あてがないのに、何とかなるようなことといわないでよ、ウィン！」

「何とかするったらするよ」ウィンは足を速めた。そのとき家の裏からマットが出てきて、ピックアップトラックのほうへ向かった。ずうずうしい愚かな負け犬め。

「それから、あのことだけど」サイクスが元気なくいった。「ミズ・〝よろよろ〟バーバーに問いあわせてみたわ。あいかわらず、飲んだくれていたけどね。あなたのいったとおりだった」

「それで？」ウィンは走りだした。

「二ヵ月くらい前に、あのケースファイルを地区検察局に送ったって。横柄（おうへい）な感じの若い男が電話してきて、そうするように指示したというの。あたしにそのことをいわなかったのは、こっちがきかなかったからだって。いろんな人がいろんなことで電話してくるから、といっていたわ。ごめんなさいね」

「電話、切るよ」ウィンは全速力で走りながらいった。

しまりかけたトラックのドアをつかんだ。ふとっちょのごろつきは、ぎょっとした顔で彼を見て、怒りを爆発させた。

「くそっ、手をはなせ！」

見るからに乱暴でたちの悪そうな男で、ビールとたばこのにおいをぷんぷんさせている。ウィンがドアを大きくあけ、ドアと運転席のあいだに立つと、男のくさい息が鼻をついた。ウィンはスージーのろくでもない亭主の、冷酷そうな小さな目をのぞきこんだ。おそらくこのあたりをうろついて、スージーが来るのを待っていたのだろう。あるいはスージーが車でとおりかかり、彼を見て、おびえて逃げ去るのを期待していたのかもしれない。

「おまえはだれだ！　何の用だ！」マットはわめいた。

ウィンは黙って彼を見つめた。昔、学校の運動場でおぼえた戦術だ。すこし大きくなり、いじめられてばかりいるのがいやになったころだ。何もいわずにじっと見つめてやる。その時間が長ければ長いほど、相手はひるむ。マットの目は、身を隠そうと砂にもぐりこむ小さなハマグリのように、ひっこんでいくかに見えた。タフガイぶりは影をひそめている。ウィンは出口をふさぐように立ちはだかり、彼を見つめた。

「てめえ、頭がおかしいんじゃねえのか」マットはびびりはじめた。

沈黙。

「ほっといてくれよ。おれは何もしてねえんだから」つばを吐きちらしながらいう。ちびりそうなほどおびえている。

沈黙。

ようやくウィンがいった。「おまえさん、犬を蹴ったり、女房をいじめたりするそうじゃないか」

「うそだ！」

沈黙。

「そんなことをいったやつは、うそをついてるんだ！」

それから、「とにかくこの顔をおぼえておくんだな」ウィンはマットを見つめたまま、低い声で何の感情もまじえずにいった。「今後、一度でもスージーに手出ししたり、動物に暴力をふるったりしてみろ。これがこの世で最後に見る顔になるからな」

12

ＤＮＡ分析がまだ終わっていないことを電話で知らされ、ウィンはいらだちをおぼえた。状況が切迫していることを説明し、あとどれくらいかかるのかを尋ねた。たぶんもう一日か二日で結果が出るだろうという。そこから具体的に何がわかるのかを、ウィンはまた尋ねた。

「遺伝子の系統だね」と、ドクター・リードはいった。「四つの生物地理学的祖先グループのどれに属しているか、つまりサハラ以南のアフリカ人か、インド・ヨーロッパ人、あるいは東アジア人かアメリカ先住民、または混血かということだ」

ウィンは窓際に置かれた祖母のお気に入りのロッキングチェアにすわっている。開いた窓から、ウィンドチャイムの軽やかなやさしい音がきこえてくる。

「……ＳＮＰｓ（スニップス）、つまり一塩基変異多型にもとづいたテクノロジーだ」と、ドクター・リードが説明している。「ふつうのＤＮＡ鑑定では、配列を調べる際に遺伝子の塩基対を何百万も分析しなければならない。その多くは関係ないものなのだが。この検査ではその必要はない。基本的には、二千ほどある祖先遺伝子情報のマーカーを調べて……」

ウィンは科学者にありがちな、くだくだしい説明に耳をかたむけた。試用段階にある何とかという機械の精度が九九・九九パーセントであること、ある検査では九五パーセントの正確さでDNAから目の色を推定できること、この研究所がハーヴァード・メディカルスクールと共同で貧血症の治療薬を開発していること……。

「ちょっと待ってください」ウィンは椅子を揺らすのをやめた。「薬がどう関係あるんです？」

「薬理遺伝学だね。うちで祖先遺伝子のプロファイリングをやりはじめたのは、犯罪捜査のためではない。製薬会社に協力して、薬の開発に遺伝学を応用することが当初の目的だった」

「ハーヴァード・メディカルスクールと提携しているんですか？」なぜか気になる。

「プロヘモゲンのことをきいたことがあるかな？　腎機能低下や、癌の化学療法、HIV治療薬ジドブジンの投与に伴って生じる貧血症の治療に使われている。輸血の必要性を減らすことができる」

そよ風が窓の向こうの木々を揺らし、ウィンドチャイムの音が大きくなった。

「ドクター・リード、フィンリー事件のサンプルはいつごろそちらへ持ちこまれたんですか？」

「二ヵ月くらい前かな」

「そんなに長くかかるんですか？」

「理論的には五日から一週間くらいで結果は出るけど、優先順位の問題だね。いまやっているのは、現在捜査中の刑事事件にかかわるＤＮＡサンプルの分析だ。そのなかには連続レイプ犯や、連続殺人犯のものもある。おたくの場合は、さほど緊急性はないようだから」

「そうですね。二十年前の事件だ。犯人の男は、もう人殺しをしてはいないでしょう」

「男ではないね。検査ではまず標準ＳＴＲ法を必ずやる。それによってマーカーのひとつから性別がわかる。あのふたつのＤＮＡの持ち主は、どちらも女性だ」

「ふたつの？　どういうことですか？」

「衣服の首のまわりや脇の下、股にあたる部分には、汗や、はがれ落ちた皮膚の細胞が見られることが多い。そのサンプルを分析したところ、女性のものであることがわかった。そのＤＮＡプロファイルは、血痕のサンプルから作成したＤＮＡプロファイルとは異なっている。つまりふたつのＤＮＡはそれぞれ別のものだ。血痕は事件当時から被害者のものと推定されていたし、実際そのとおりだ。当時の捜査でも、その点は正確に把握していたわけだ」

カントリークラブの数十年間分の書類は、シンダーブロックでできた倉庫に保管されている。広さ二千五百坪の敷地に、それらの倉庫が貨車のようにつながって、巨大な保管施設を形作っている。

倉庫には温度調節装置はあるが、照明器具はない。そこでサイクスが小さな懐中電灯の細い光で白い箱を順に照らし、ミシーが目録を見て、なかに何が入っているかを調べた。

「Eの三」と、サイクスが読みあげた。

「一九八五年十一月」と、ミシーがいう。「近くなってきたわ」

ふたりは作業を続けた。倉庫のなかは風通しが悪く、ほこりっぽい。サイクスは、狭苦しい暗い場所で、もくもくと古箱のなかをさがすことに、いやけがさしていた。ウィンはといえば、そのあいだニューイングランド中をかけずりまわっている。何をやっているのか、見当もつかない。

「Eの八」と、読みあげる。

「一九八五年六月。順番がちがっているみたいね」

「じゃ、こうする?」サイクスはきっぱりいって、金属の棚からまたひとつ、重い箱をおろした。「一年分、全部出してみるの」

ビーコンヒルにある、れんが造りの由緒ある建物のドアマンは、ウィンの頼みをきいれてくれない。つまり、取り次ぎなしにラモントを訪ねることはできないといいはる。

「申しわけありませんが」と、グレーの制服を着た年輩の男性はいった。いつもデスクの後ろで、退屈しのぎに新聞を読んでいるらしく、椅子の下に新聞が重ねてある。「ご不在でないことを確認してからでないと。そちら様のお名前は?」

ばか。彼女は在宅していると、いまいったじゃないか。

「わかった。ではしかたない」ウィンはためいきをつき、上着のポケットに手を入れて札入れをとりだし、それをあけて身分を証明するものを見せた。「でもこのことは絶対に他言しないでもらいたい。極秘の捜査にかかわることだから」

ドアマンは時間をかけて記章や身分証明書をながめ、ついでウィンの顔をしげしげと見つめた。ドアマンの顔にとまどったような、奇妙な表情がうかんだ。そのなかにかすかに興奮の色も見てとれる。「あなたは例の……？　新聞で読みましたよ。いま気がつきました」

「その件については話せない」

「わたしにいわせれば、あなたはやるべきことをやった。正しいことを。最近の若者ときたらまったく、やくざな連中ばかりで」

「その話はできないんだ」ウィンがそういったとき、五十代とおぼしき女性がロビーに入ってきた。黄色いデザイナースーツを着ている。ウィンがシャネリアンと呼ぶ種族、つまりシャネルのロゴの大きなＣＣマークを見せびらかす、金持ちの女性だ。

「ごきげんよう」ドアマンは腰をかがめて、うやうやしくあいさつした。

女性はウィンを無視しておりすぎようとしたが、急にはっとした顔で向き直った。彼をじろじろ見て、気をひくようにほほえむ。ウィンは笑顔を返し、彼女がエレベーターへ向かうのを見送った。

「あの人といっしょに上へ行くよ」ウィンはドアマンにいって、抗議するすきを与えずに歩きだした。

大股でロビーを横ぎる。ちょうどエレベーターの磨かれた真鍮（しんちゅう）の扉があいたので、それに乗りこんだ。マホガニーのエレベーターが彼をラモントのもとへ運ぶ。ラモントはウィンの来訪を喜ばないだろう。それは彼女にとって一生忘れられないものになるはずだ。

「このエレベーター、いい加減にとりかえてほしいわ。何度も頼んでいるんだけど。新しいエレベーターをつける余裕がないわけじゃあるまいし」シャネリアンはしゃべりながら、八階のボタンを押した。上客向けの新作展示会を見るような目で、ウィンをながめまわす。展示されているものを、全部買いとりたいとでもいうようだ。

エレベーターは、沈没するタイタニック号よろしく、きしみながらのぼっていく。ラモントがここに滞在しているのは確かだが、どの部屋にいるのかは、だれも知らなかった。ラモントの名前はどこにも表示されていない。

「ここに住んでいらっしゃるの？　お見かけしたことはないような気がするけど」と、シャネリアンがいった。

「知人を訪ねてきたんです」ウィンはとまどった様子でエレベーターのボタンを見つめた。「ペントハウスだと彼女はいっていたけど、二軒あるみたいだな。ＰＨとＰＨ２と。あれ、ちがったかな……」メモをさがすふりをして、ポケットに手を入れる。

エレベーターが止まった。ゆっくりと扉があく。シャネリアンは動こうとせず、思案ありげな顔をしていった。「どなたを訪ねていらしたのか教えてもらえれば、お役にたてるかも」

ウィンは咳払いし、声を低めて彼女のほうへ身をよせた。香水のにおいがアイスピックのように鼻を刺す。「モニーク・ラモント。でもこのことはどうぞ内密に」

シャネリアンは目を輝かせて、うなずいた。「十階よ。南の角。でもここに住んでいるわけじゃなくて、泊まりに来るだけ。しょっちゅう来ているわ。プライバシーがほしいんでしょうね。だれだって私生活は必要ですものね」ウィンの目を見て、「わたしのいいたいこと、わかるでしょう?」

「ラモントをご存じですか?」

「彼女のことを知ってはいるわ。目立つし、いろんなうわさがあるし。ところで、あなたは? お顔に見おぼえがあるわ」

ウィンは腕をのばし、扉がしまろうとするのを押さえた。「みんなにそういわれますよ。それじゃ」

シャネリアンは体よく追いはらわれたことに腹をたて、あとも見ずに去っていった。ウィンは携帯電話をとりだし、サミーにかけた。

「頼みがあるんだ。ラモントのアパートだけど」と、サミーに住所を教える。「所有者、あるいは家主がだれか、調べてくれ」

ウィンは十階でおりた。大理石の狭いロビーの両側に、それぞれドアがある。SC十号室のベルを鳴らした。三回鳴らした後、ようやくドアの向こうからラモントの声がきこえた。警戒しているようだ。

「どなた？」

「ぼくだ。ウィンだ。あけてくれ、モニーク」

錠をまわす音がきこえ、どっしりした木のドアがあいた。その向こうにいるモニークはしどけない格好をしている。シャワーを浴びていたようだ。

「何の用？　勝手なまねをしないでよ」彼女は語気荒くいって、濡れた髪を額からかきあげた。「どうやって入ったの？」

ウィンはラモントの脇をとおってなかへ入り、バカラのシャンデリアの下に立って、凝った繰り形（モールディング）や羽目板、ぜいたくな古木の床に目をやった。

「りっぱな家だな。どれくらいするんだ？　二、三百万ドル？　四、五百万、いや六百万かな？」

サイクスは、自分には一生縁がないと思われるカントリークラブの事務室にすわっている。ヴィヴィアン・フィンリーは、自分がみんなより偉いと思っていたのだろうか？　サイクスのことなど、サラダの食べ方も知らない無骨な田舎者だと思って、無視したかもしれない。正直いって、犯罪の犠牲者にはいやみな人間もけっこういる。サイクスは請求明細書を調べている。五月までいったところだ。これまでのところわかったのは、ミセス・フィンリーがとても活動的で、週三回ここでテニスをして、そのあといつもクラブで昼食をとっていたことだ。毎回の請求書の額から判断すると、彼女は必ずだれかといっしょに食事をして、勘定を全部もっていたらしい。週に一、二回はここで夕食もとっているし、サンデーブランチも気に入っていたようだ。かなりの金額を支払っているところから、やはりひとりではなかったと思われる。

ミセス・フィンリーは、異常なほど気前がよかった。この裕福な老婦人が惜しげもなく人のために金を使ったのは、自分の幸運をみんなに分け与えるためではないだろう。このクラブのメンバーである以上、おごられるほうも金に困っているはずはない。おそらくミセス・フィンリーが毎回勘定をもったのは、大きな顔をしたかったから、その場を仕切りたかったからだろう。彼女は偉ぶって、人を支配したがるタイプだったにちがいない。そうした手合いを相手にすると、サイクスはいつも萎縮してしまう。その手の男性と、何人もつきあったことがある。だがウィンは彼女が知っているどの男性ともちがっていた。

サイクスはこのあいだ、ウィンとテネシー・グリルへ行ったときのことを思いだした。ふたりで夕日が川の向こうへ沈むのをながめながら、特大のチーズバーガーとビールを楽しんだ。特別な夜だった。ひょっとすると、ウィンも自分と同じ気持ちでいるのでは、とサイクスは胸をときめかせていた。彼女はウィンに惹かれていた。というより、惹かれている。そのことは否定できない。だが、そのうちおさまるだろうと思っている。その夜は彼女がおごる番だったので、そうした。ウィンはおごられるのをいやがらない。といっても、彼がケチなわけではない。それどころか、とても気前がよく、親切だ。ただ、ものごとは平等にするべきという考えなのだ。そうすれば、ふたりとも「いい気分になれるし、人に与える喜びを味わえるから」だという。ウィンはどんなことでも、交代でする。射撃の練習も、車の運転も、勘定の支払いも、会話もだ。あらゆることを、公平にやる。

サイクスは七月分の明細書に目をとおしはじめた。ミセス・フィンリーのいつものテニスとランチのほかに、ゲストが一名、クラブでテニスとゴルフをしていることに気づき、色めきたった。このゲストがだれかはわからない。もしかすると、そのときどきによってちがう人なのかもしれない。だがいずれにせよ、二週間のあいだにゲストがプロショップで約二千ドル分の「衣服」を購入し、その代金がミセス・フィンリーの勘定につけてある。八月分を調べはじめた。

ミセス・フィンリーが殺害された当日の八月八日、ゲストがテニスをしている。ボールマシンの使用料が請求されているところを見ると、どうやらひとりで練習したらしい。社交的なミセス・フィンリーは、このマシンを使ったことはなさそうだ。同じ日に、やはりゲストがプロショップで千ドル近い買い物をして、代金をミセス・フィンリーの勘定につけている。

ラモントとウィンのあいだにあるものは、アンティークのテーブルと、彼女が身につけている赤いシルクのバスローブだけだ。

午後七時になろうとしている。夕日は燃えるようなオレンジ色で、ピンクのすじが地平線の上に広がっていく。あけはなした窓から、暖かい空気が流れこんでくる。

「服を着てくれ」ウィンはラモントにいった。これで三度目だ。「お願いだ。ぼくたちはお互いにプロフェッショナルだ。仕事仲間として話をしている。その関係をこわさないようにしよう」

「仕事仲間としてここへ来たわけじゃないでしょう。それに、ここはわたしのアパートなんだから、着たいものを着るわ」

「いや、あなたのじゃないだろう。サミーが管理人と話をした。州警察の科学捜査研究所所長は、なかなか羽振りがいいようだな」

ラモントは無言だ。

「モニーク？　ヒューバーの金の出所はどこなんだ？」

「本人にきけばいいでしょう」

「なぜあなたは彼のアパートにいるんだ？　あなたたちふたりのあいだに何かあるのか？」

「わたしは目下のところ、帰る家がない状態なのよ。早いところ、用件をすませてくれる？」

「よし。じゃ、その件はあとにしよう」ウィンは身をのりだし、テーブルの上に両ひじをのせた。「ぼくが口火を切ろうか、それともあなたに真実を話すチャンスを与えようか？」

「なるほど、仕事仲間ね」ラモントは彼の目を見据えた。「わたしを逮捕して、おまえには黙秘権があるとかなんとか、いってきかせるつもり？　わたしが何か悪事を働いたと思っているようね」

「真実」と、ウィンはまたいった。「あなたはいま窮地に立っている。真実を話してくれないと、手助けしようにもできない」

「いったい何の話？」

「お宅のガレージの上の仕事部屋」と、ウィンは続けた。「だれが使っているんだ？」

「あそこへずかずか入りこむ前に、捜索令状をとったの？」

「あなたの家は犯罪現場だ。敷地のなかは全部。隅から隅までね。そんなことを、あなたに説明する必要はないだろう」

ラモントはたばこの箱をとり、一本とりだした。手がふるえている。彼女がたばこを吸うのを見るのは、はじめてだった。

「ガレージの上の、あの部屋へ最後に入ったのはいつ？」と、ウィンはたずねた。

ラモントはたばこに火をつけ、深々と吸った。煙がウィンの顔にあたらないよう、顔を横に向けて吐くだけの配慮は見せる。

「わたしがどんな罪を犯したというの？」

「やめてくれよ、モニーク。あなたをとがめているわけではない」

「とがめられているような気がするわ」そういって、灰皿をそばにひきよせる。

「じゃ、状況を説明するよ」ウィンはべつの角度から攻めることにした。「ぼくはガレージの横の入り口からなかへ入った。ちなみに、そのドアは錠がこじあけられていた。だれかが押し入ったらしい」

ラモントは煙を吐きだし、たばこの灰を落とした。一瞬ほの見えた恐怖が、怒りに変わっていく。

「ガレージのなかに車が入った形跡があった。汚れたタイヤの痕(あと)だ。たぶん最後に雨がふったときについたんだろう。つまり、あなたが襲われた夜だ」

ラモントはたばこを吸いながら、きいている。

「折りたたみ式のはしごが見えたので上がっていくと、ゲストルームがあった。使われた様子はなかったけど、カーペットに足跡がついていた」

「で、もちろん、あなたはその部屋のなかを徹底的に捜索したのね」ラモントは、みだらな目で見られることをむしろ歓迎するかのように、椅子の背に体をもたせた。

「もしそうだとしたら、何を見つけたと思う？　教えてくれ」

「まるで見当がつかないわ」

13

ラモントはウィンの目を見つめながらたばこの灰を落とし、煙を吐きだした。身にまとっているのは、つやつやした赤いバスローブだけだ。ウエストのところできゅっとベルトを結んでおり、胸の谷間が見える。

「あなたはカリフォルニアのＤＮＡ研究所とかかわりがある」と、ウィンはいった。

「バイオ研究や医薬開発には、巨額の金がからむ。詐欺や不正もつきものだ。おかしなことに、それは伝染する。もともとは悪い人でなくても、そうしたことを見聞きするうちに、悪事に手をそめるようになる」

ラモントはたばこを吸い、ウィンを見つめながらきいている。その目には、あいかわらず奇妙な表情が見える。

ウィンは声をあげた。「きいているのか？」

「今度は強面でいこうというわけ、ウィン？　わたしには通用しないわよ。そのテクニックはこっちのほうがよく知っているんだから」

「こんなことをして許されると思っているのか？　ぼくをテネシーに送ることに同意

しておきながら、マスコミ向けの宣伝に利用するために、いきなり呼び戻す。脅迫状をよこす。犯人に対して武器を使ったのは不当だったとほのめかす。よくそんなことができるな。平気でそういうことをするとは、あなたはいったいどういう人間なんだ

「……？」

「武器を使用した状況を調べる必要があるといっただけよ。ルールを重んじる地区検事として」ラモントの目は彼を見据えている。「わたしは規則にしたがって行動しただけよ」

「そうだろうとも。ルールがきいてあきれるよ。あなたのエゴと策略には、まったくおそれいる。警察の報告書が所在不明になっていた。例の殺人事件のファイルだ。どこにもなかった。ところが、なんと。ぼくがそれを見つけた。どこにあったと思う？お宅のガレージの上の部屋だ。いったいどういうつもりなんだ？」

「なんですって？」ラモントは驚いた様子で、とまどいの表情を見せた。

「いまいったとおりだよ」

「フィンリー事件のファイルが、うちのガレージの二階にあったの？　それが所在不明だったとは知らなかったわ。地区検察局がそれを手に入れたことも……。二階のどこにあったの？」

「教えてくれよ」ウィンは怒りをつのらせている。

「知らないわ！」

「オーブンのなかじゃないか？」

「冗談のつもり？」

「ヴィヴィアン・フィンリー事件のファイルは、あそこのオーブンのなかにあったんだ」

ラモントの目にまたあの色が浮かんだ。疑いと軽蔑がこもっている。「とんでもなく愚かで、しかも薬物で正気をなくしている人間のしわざ」と、つぶやく。「ハエほどの記憶力もないやつ。わたしを陥れようと」

「あなたがあそこに隠したのか？」

「わたしはばかじゃないわ」ラモントはゆっくり押しつぶすようにして、たばこの火をもみ消した。「ありがとう、ウィン。いまのはとても貴重な情報だわ」

ラモントは身をのりだして、テーブルに両腕を置いた。ウィンが見るべきではないものが、いやでも目に入る。彼女の目が強く誘いかけている。ラモントがそんな態度を見せるのははじめてだった。

「やめてくれ、モニーク」

ラモントはそのままの姿勢で待ち、ウィンの視線が自分に注がれるのを見つめている。ウィンの目は、それ自体が意思をもっているかのようだ。彼女と寝てみたい、という思いがかつてないほど強くなった。

「そんなことをしてはいけない」ウィンは目をそむけた。「あなたのいまの気持ちはわかる。性的暴行の被害者とかかわったことは何度もあるから……」

「あなたは何もわかっちゃいないわ！　わたしは被害者ではないのよ！」

彼女の激しいことばは、キッチンをゆるがすかに思えた。

「こっちも被害者になるつもりはない」ウィンは低い声で、冷静にいった。「自分にまだ魅力があることを確認するために、ぼくを利用するのはやめてくれ。その件はセラピストにまかせるといい」

「わたしがあなたを利用する？」ラモントはバスローブの前をかきあわせた。「逆じゃないかしら。確認してもらう必要があるのは、そっちでしょう」まっすぐにすわり直してうつむき、まばたきして涙をおさえる。

長い沈黙が続いた。ラモントは必死で自分をおさえようとしている。

やがて、「ごめんなさい」といって、涙をふいた。「ひどいことをいって。悪かったわ。本気じゃなかったのよ」

「話してくれ」

「もうすこしやる気を出しててていねいに調べれば、わかったはずよ」ラモントは落ち着きをとりもどし、ふたたび辛辣(しんらつ)な口調になった。「わたしはあのガレージを使っていない。もう何ヵ月もあそこに車をとめていないわ。使っている人がほかにいる。というか、いたの。わたしはあそこへは行っていない」

「使っていたのはだれだ？」

「トービーよ」

「トービー？」ウィンは怒ったようにいった。べつの感情が頭をもたげたのだ。「あの役立たずのうすのろを、屋敷内に住まわせていたのか？　なんてことだ」

「やきもちを焼いているようにきこえるけど」ラモントはたばこを吸いながら、にやっとした。

「あなたは、ヒューバーの頼みはききいれざるをえないと思っているようだが……」

ウィンはもどかしげにいった。頭が混乱している。

「そんなことどうでもいいでしょう」

「いや、よくない！」

「トービーをあそこへ住まわせてもらえないかと頼まれたの。わたしのもとで事務の仕事をしながら。そうやって彼を家から出したかったのね」

ウィンはバプティスタのポケットに入っていた百ドル札の束やガソリン缶、ぼろ布、そしてラモントの鍵のことを考えた。鍵がなくなったために、彼女は家の裏へ行き、木におおわれた暗い裏口で、キーボックスからスペアキーをとりだしたのだ。トービーがドラッグを常用していることや、バプティスタがドラッグ所持容疑により、数ヵ月前に少年裁判所で裁かれていることも頭に浮かんだ。

「ひとつききたいんだが」と、ウィンはいった。「ヒューバーがあなたを消したいと考える理由はある?」

ラモントはまた一本、たばこに火をつけた。たて続けに吸ったせいで、声がしゃがれている。マティーニはやめて、自分のために白ワインをついだ。

彼女はウィンに目をやり、値踏みするように彼を見た。ウィンを見つめ、彼の目が自分をとらえるのを待つ。こんな美しい男は見たことがなかった。黒っぽいプリーツパンツにオープンネックの白いコットンシャツ。なめらかな褐色の肌。漆黒の髪。そして気分によって変化する瞳。わたし、すこし酔っている、と思った。どんな感じだろう、この男と……思わず想像しそうになるのをおさえた。

ウィンは無言だ。何を考えているのかわからない。

「わたしを軽蔑しているのね」ラモントはたばこを吸いながらいった。

「いや、気の毒に思っている」

「そうでしょうとも」憎しみがわきおこり、胸をしめつけた。「あなたたち男は、女から奪うだけ奪って、放りだすのよ。ごみみたいに。そして、ごみ扱いする。せいぜい気の毒がってあげるといいわ、おつむの弱いうすっぺらなガールフレンドたちを」

「あなたを気の毒に思うのは、心のなかが空っぽだからだ」

ラモントは笑った。うつろな笑い声だ。

空っぽ。また涙が出そうになった。わたしはいったいどうしたのだろう？　落ち着いたかと思うと、またとり乱す。

「心の空洞を埋めるための何かが必要なんだよね、モニーク。だからすべてを手に入れたい。権力。名声。さらなる権力。美貌。気に入った男。みなもろいものばかり。あなたのガラスのコレクションのように。すこしでも傷ついたり、ぐらついたりすると、こわれてしまう」

ラモントは顔をそむけた。彼と目を合わせないようにする。

「もう一度きく。フィンリー事件のファイルがあそこに、トービーが滞在していたあの部屋にあったことに、あなたはかかわっているのか？」

「なぜそんなことをすると思うの？」彼女はたまりかねたように震え声でいって、またウィンを見た。「あなたに見せないように？　わたしはかかわっていない。さっきいったでしょう。そのファイルは一度も見ていないわ。テネシーにあると思っていたわ」

「オフィスに届いたときに見なかったのか？　あなたのデスクの上に置いたとトービーはいっていたが」

「あいつは大うそつきよ。オフィスへ送られてくることも知らなかった。トービーが横取りしたにちがいないわ」

「じゃ、彼がそれをガレージの上の部屋にもっていって、隠したということだな。あるいは置き忘れたのか。どういうつもりだったのかはともかく」

「わたしはあそこへは行っていない。彼が来てからは一度も。もともとあれはゲストルームで、使うことはめったになかったの」

「やつもあまり使っていなかったようだ。トービーがあそこへ出入りするのを見たことは？」

「注意していなかったから」

「彼の車は？」

「音をきいたことはあるけど。たいてい夜遅い時間だったわ。彼のことにはかかわらないようにしていたの。はっきりいって、関心もなかったし。ほとんどのときは外で、ヤク友達と騒いでいるのだろうと思っていたわ」

「ロジャー・バプティスタという名のヤク友達ね。トービーはマーサズヴィニヤード島での休暇から帰ったあとは、オフィスにもあの部屋にも戻らないつもりだったようだ」

ラモントは考えこんでいる。こわばった顔には怒りと恐怖の色が見える。

「なぜトービーはあなたのオフィスからファイルをもちだしたんだ？」ウィンは強い調子できいた。

「薬物のために頭が働かず、忘れっぽい。おぼえていられず……」

「モニーク？」

「だれかにそうしろといわれたからにきまってるでしょう！　わたしが無能で信頼できない人間に見えるように。事件の捜査に必要なものが、あなたの手にわたらないことになる。あのファイルがなければ、捜査しようがないでしょう？　もしファイルがあそこで見つかれば、わたしの面目は丸つぶれよ」

ウィンは黙ってきいている。

「ファイルをもち去るようにだれかがトービーに指示して、脳みその腐ったあのばかものが、いうとおりにしたのよ」彼女はしばし沈黙してから、続けた。「愚か、無能。生きていようと死んでいようと。どっちにしてもクローリーが再選されることになる」

「クローリーもこれにかかわっていると思うのか？」

「あの夜、トービーは都合よく町を離れていた。あなたが来たとき、あれがおこったとき、トービーはいなかった。マーサズヴィニヤード島へ出かけたところだった。だから目撃者はいない。ディーゼル・カフェに残されていたあのばかげた手紙の目的は、あなたがうちへ来て犯行の邪魔をしないようにすることだったのかも」

「じゃ、あの手紙のことも知っているんだね。当ててみようか。ヒューバーとシルクのマフラー。あの夜は緋色(ひいろ)のマフラーをつけていた」

「そのことはあとで知ったの。彼がなぜそんなことをしたのか。いま思うと別の理由もあったのかもしれない。嘲(あざけ)るような手紙を送って、あなたの注意をそっちにひきつけようとしたんじゃないかしら。あなたがわたしに会いに、うちへ来ないように……」

「なぜぼくがそうすると思ったんだろう？」

「彼、異常なほど嫉妬深いの。男という男はみんなわたしと寝たがるし、女はみんなあなたを求めると思っている。たぶんトービーがあいつを選んだのね、あなたのいうとおり」ラモントはまたさっきの話に戻って、バプティスタのことをいいだした。「麻薬の提供者のひとりだったのかもしれない。裁判所をうろついているときにでも会ったんでしょう。お金を払ったのは彼だと思う？」

「彼って？」

ラモントはウィンを見た。じっとその顔を見つめ、やがていった。「わかっているでしょう」

「ヒューバーだな」いずれヒューバーを尋問することになるだろう。ウィンにとってはつらい仕事だ。

「ガレージに押し入ったのも、たぶんジェシーだわ……」

「何のために？　ファイルをさがすため？」

「そうよ」それから、「わからない。わからないわ。はっきりしているのは、彼がわたしをおとしめようとしたことだけ。評判を傷つけようとした。死んでから。あるいは、生きているいまも……」

声が震え、目には怒りの涙があふれた。ウィンは彼女を見つめて、待った。

「教えて」ラモントは声をふりしぼるようにしていった。「彼は金を払ってわたしをレイプさせたの？　それも条件だったの？」声が高くなり、涙がこぼれ落ちる。

ウィンにはわからない。何といえばいいかもわからなかった。

「それとも、殺して家を燃やすだけでよかったのに、あのげす野郎が勝手にレイプをおまけにつけたのかしら。いわゆる日和見（ひよりみ）的犯行ってやつね」

「なぜなんだ？」ウィンが静かにきいた。「なぜあんな……」

「あんな過激なやりかたをしたか？」ラモントは耳ざわりな笑い声をあげて、彼のことばをさえぎった。「なぜかって？　わかるでしょう、ウィン。よくある話よ。憎しみ。ねたみ。さげすまれたり、ばかにされたり、脅されたりしたことへの報復。執拗（しつよう）で残酷な方法で殺す。相手を侮辱し、できるだけ苦痛を与える」

あの夜の彼女の姿が目に浮かぶ。ウィンはそれを払いのけようとした。

「彼はそれをしようとしたのよ」ラモントはそういってから、つけ加えた。「いくら？」

彼女が何をききたいのかわかっている。だがウィンは答えない。

「いくらだったの！」

ウィンはためらってからいった。「千ドルだ」

「たったそれだけ。それがわたしの値段なのね」

「いや、それは関係ない。わかっているはず……」

「いいのよ」と、ラモントはいった。

14

レックス銃砲店は、イースト・フラットロックのアップワード・ロードに面している。日曜日は休みなので、内密の会合をひらくにはちょうどよい。小火器やカモフラージュ用品が大好きなノースカロライナの住民も、うれしいことに安息日は守るらしい。

サイクスとウィンは、ライフルと釣り具がならぶ棚のあいだに、折りたたみ椅子を置いてすわっていた。壁にかかった重さ三キロのバスが、サイクスをにらんでいる。ヘンダーソン郡の保安官、ラザフォードが、ピストルの入ったガラスのショーケースに寄りかかっている。彼はレックスの友人なので、この店の鍵を借りて、フィンリー事件のことを話しあうために、ウィンとサイクスをここへ呼んだ。ラザフォードはいかにもその名にふさわしい風貌の男だ。おかしなことに、名前と本人の雰囲気は一致することが多い。サイクスは昔からそのことに気づいている。

ラザフォードは貨物列車のようだ。大きくてやかましく、威圧的で、つねにひとつの方向、つまり自分自身のほうを向いている。彼はフラットロックが彼の管轄であることをふたりが忘れないよう、何度もそれを口にする。そしてジョージ・フィンリーと妻の「キム」ことキンバリーを逮捕することになったら、それを実行するのは自分であることをしきりに強調する。だが、そもそもなぜあの夫婦を逮捕する必要があるのか、わからないという。そこでサイクスとウィンは、辛抱強く彼に説明している。事件についての詳細があきらかになったのは、昨日だ。ふたりは夜を徹して車でノックスヴィルからここへやってきた。そしてベストウエスタン・モーテルにこもって、本来なら最初から見ることができたはずの、あのケースファイルのなかのさまざまな情報を検討し、つなぎあわせた。ファイルには何ページにもわたる報告書と証人の供述調書、それにぞっとするような写真が十二、三枚入っており、それらを調べると不穏な事実がつぎつぎにあきらかになった。

一九八五年八月八日にミセス・フィンリーの無残な遺体を発見したのは、キムだった。九一一番に通報したのは、午後二時十四分だ。ジョージの白いメルセデスのセダンに乗って使いに出たが、途中で思いたって寄ったという。しかしその数時間前の午前十時半から十一時のあいだに、セコイア・ヒルズのミセス・フィンリーの家からわずか数ブロックのところに住む退職した男性が、赤いメルセデスのコンバーチブルに乗ったキムを付近で見かけていた。バーバー刑事がそれについて質問すると、キムはすらすらと説明した。出かけているあいだにセコイア・ヒルズの近くで車をとめ、ペットのマルチーズ、ザザを「大通り」で散歩させたのだという。大通りとはチェロキー・ブールバードのことだ。その説明に、とくに不審な点はなかった。チェロキー・ブールバードは当時もいまも、犬を散歩させる通りとして、そこの住人だけでなく周辺の人たちにも人気がある。キムはセコイア・ヒルズに住んではいなかったが、天気がよければ毎日ここでザザを散歩させていた。八月八日はたまたま晴天だった。

バーバーへの供述で、キムはいちおう納得のいく話をしている。それによると、彼女は昼ごろにザザを家につれて帰り、「風邪をひいて寝ていた」ジョージの様子を見てから、彼のメルセデスでふたたび外出した。自分のコンバーチブルは「ガソリンがなくなって、おかしな音がしていた」からだ。クリーニング店へ行く途中に、ミセス・フィンリーの家へ「寄る」ことにした。ベルを押しても出てこないので入っていった。そして「ひどいショック」を受けたという。キムがさらに、涙ながらにバーバーに語ったところでは、彼女は日ごろからミセス・フィンリーのことを心配していた。「大金持ちで目立つのに一人暮らしをしていて、しかもお人好しですぐに人を信用する」からだ。その週の前半に「いっしょに食事をしようとジョージとふたりで彼女のところへ行ったとき、家のそばにあやしげな黒人がいて、家をじっと見ていました。わたしたちが車を私道に入れると、男は急いでそこを離れました」という。

当然ながらジョージは妻の話を裏づけるような供述をして、さらに新たな話もいくつかつけ加えた。おばも数日前にその黒人の男を見かけたらしい、というのが、そのひとつだ。男は家のそばの通りを行ったり来たりしていた。「ぶらぶらしていた」と、彼女はいっていたという。ジョージはまた、その男がおばの家の主寝室の窓台に、ハンマーを置いていったらしい、ともいった。「おばが壁に絵をかけるときに、その男が手伝った。そのときそれを使ったんだ。いつだったかはっきりおぼえていないけど、あれがおこる少し前だったと思う」そうした証言から、一見もっともらしい仮説が導きだされた。ミセス・フィンリーがテニスかショッピングから帰宅したところ、盗みに入っていた犯人と鉢合わせしてしまった。犯人は銀貨が入った箱をとったところだった。その箱は「主寝室のドレッサーの上の、すぐ見えるところに置いてあった」という。

バーバーのメモによると、警察が来たとき、バスタブに水がはってあり、縁に濡れたタオルがかけてあった。そしてそれより大きな濡れたタオルが、寝室の床の、遺体のそばに落ちていた。そのことから、バーバーはこのように推測している。犯人はミセス・フィンリーが車で帰ってきた音をきいてどこかに隠れ、彼女がふろへ入るために服を脱ぐのを見て、性的に興奮した。そしてミセス・フィンリーがフリルつきの青いテニスパンティだけになったとき、その前に立ちはだかった。彼女が悲鳴をあげたとき、窓台の上のハンマーに気づき、それを使った。

バーバーは、犯人があらわれたとき、ミセス・フィンリーはふろに入っていたのかもしれない、とは考えなかったようだ。すくなくともメモにはそれは書かれていない。しかし犯人はミセス・フィンリーのよく知っている人物だった可能性もある。そのために彼女はその人物が寝室へ入ってくることを許し、自分がまだふろに入っているとき、あるいは体をふいているときに、話しかけられても平気だったのかもしれない。たとえば親しい女性の友人や親戚といった相手だ。そしてその人物と、必ずしもうまくいっていなかったとも考えられる。犯人は彼女を殺したあと、犯行を性的暴行未遂のように見せかけることにした。テニスパンティをひざまでひきずりおろしたところで、逆上した犯人が被害者を殴り殺したという筋書きだ。バーバーはこうした可能性については、まったく考慮しなかったようだ。

ミセス・フィンリーのテニス仲間の供述によると、キムとミセス・フィンリーは夏のあいだに仲たがいしたらしい。ミセス・フィンリーは、「中国人はコインランドリーでも働いていればいいのよ、わたしの甥と結婚なんかしないで、などといいだしていた」という。もし自分がこの事件の担当刑事で、だれかがそう証言するのをきいたら、それに注目しただろう、とサイクスは思った。そのあたりの事情を徹底的に調べ、断片的な情報を結びつけて、キムとミセス・フィンリーが険悪な関係にあったことをつきとめたはずだ。その日、テニスのあとキムが彼女の家に寄ったとき——またごっそり買い物をして、その代金をミセス・フィンリーのクラブの勘定につけてから——ふたりは口論をはじめ、それがエスカレートしたと推理しただろう。

「それだけじゃ、状況証拠にすぎないように思えるがね」ラザフォード保安官が、ピストルのショーケースにもたれていった。

「DNAは状況証拠ではない」と、ウィンが答えた。彼はたびたびサイクスのほうへ目をやる。この件にはふたりでかかわっていることを忘れないでくれ、と保安官にいいたいようだ。

「なんで事件がおこったときにDNAを調べなかったんだろう？　二十年もたってからじゃ、ほかのものが混入したりしてないかな」

「そのころには、まだDNA検査をやっていなかったんだ」ウィンがサイクスを見ながらいう。サイクスがうなずいた。「標準的な血清学的検査や、ABO式の血液型検査しかやらなかった。そうした検査の結果は、テニスウェアについた血液がミセス・フィンリーのものであることをはっきり示していた。だが二十年前にはそれだけで終わっていた。衣服の特定の部分を検査すれば、ほかの生物学的情報もえられるが、それはしなかった」

「特定の部分とは？」と、保安官はきいた。いらいらしている様子だ。

「肌にこすれる部分。汗や唾液といった体液が付着する可能性のあるところだ。体液はいろんなところから検出される。襟の内側、脇の下、帽子のつば、靴下、靴の内側、チューインガム、たばこの吸い殻。それを調べるには、ＰＣＲ法や標準ＳＴＲ法といった、高度なＤＮＡ検査技術が必要だ。ついでながら、たとえ不純物の混入がおこっていたとしても、誤った結果が出ることはない」

ラザフォードはその件については深入りしたくないらしく、こういった。「ともかく、ジョージとキムは素直に応じると思うよ。さっきもいったように、ふたりは家にいる。秘書に電話させたんだ。警察友愛会のハリケーン支援のための、寄付をつのっているという名目で。あのハリケーン、すごかったな。神が何かに腹をたてたとしか思えない」

「腹をたてる理由はいっぱいあるわ」サイクスが彼にいった。「この世には野心や欲や憎しみがうずまいているもの。ミセス・フィンリーが殺されたのも、結局そうした欲望のためでしょう」

ラザフォード保安官は返事をしない。サイクスのほうを見ようともしない。発言はすべてウィンに対してする。ラザフォードにとっては、これは男の世界なのだ。きっとハリケーンがおこるのもそのせいだと考えているのだろう。女は家庭でおとなしくしているべきなのに、そうしないので神が罰を下したのだと。

「あんたたちが行動を開始する前に、列車の件をはっきりさせておきたい」保安官がウィンにいった。「あれはやっぱり殺人だったような気がする。ディクシー・マフィアみたいな犯罪組織がからんでいたんじゃないかな。もしそうなら」と、二重あごの首をゆっくり左右に振る。「もっとちがうやりかたをするべきだな。FBIの協力を要請するとか」

「殺人てことはありえないわ」サイクスが自信をもっていう。「マーク・ホランドの事件についてわかったことから判断すると、あれは自殺としか思えない」

「どんなことがわかったんだ？」保安官はウィンが発言したかのように、彼にたずねた。

「マークがキムと結婚していたとき、彼女は夫のお金を使いこんだうえに、浮気をしていたの。相手はマークの親友で、やはり刑事だった。マークが怒り、鬱状態になる理由はたっぷりあったわけ」サイクスは保安官をまっすぐ見ていった。

「それだけではバーバーも捜査をすすめようがなかったのかもしれない」と、ウィンがいい添えた。「でもそのことを知ったら、キムの人柄や品行について、多少調べたくなるはずだ。実際、彼はそうしている。チャペルヒルの検屍局と連絡をとって、その後ホランドの遺体のポラロイド写真を、ミセス・フィンリーの検屍のときの所持品リストにホッチキスでとめていた」

「テニスウェアが記載してある所持品リストだな？　テニスウェアのサイズが六だったので、彼は天才的な推理力を発揮して、そのことを列車による轢死事件と結びつけたってわけか？」ラザフォードはスペアミントガムの包み紙をあけ、ウィンに向かって片目をつぶり、「これにはおれのDNAがついちまうんだな？」ときいた。「続けてくれ」そういってガムをかむ。「先を続けてくれ。きいてるから。それと列車の事件とを関連づけてくれ。できるのかね、そんなこと」ガムをかみながらいう。

「十よ」と、サイクスがいった。「テニスウェアのサイズは十だったの」

「女性の服のことにそうくわしいわけじゃないが、その気の毒な刑事が列車に轢かれた事件と、殺された老婦人のテニスウェアとのあいだに、つながりがあるとは思えないな。その服がミセス・フィンリーには大きすぎることに、バーバーが気づいたというのか？」あいかわらずウィンに向かっていう。

「バーバーには絶対わからなかったと思う」と、サイクスはいった。

「おれもわからないだろうな」保安官がウィンにいう。「あんたならどうだ？」ガムをかみながら、またウィンに向かってウィンクする。

「そのことに最初に気がついたのはガラーノ刑事なのよ」と、サイクスはいった。

「真相はもっと簡単なことだと思う。バーバーは血染めのテニスウェアの検査を、テネシー州捜査局（TBI）のラボに依頼した」と、ウィンがいった。「その書類のコピーを、あの検屍の写真にホッチキスでとめた。そしてそれをマスターカードの九月分の明細書といっしょに封筒に入れた。たぶんその前の月に、チャペルヒルの検屍局へ行ったときの旅費の明細が、九月分にのっていたからだろう。あまり深く考えずに、何かすることはあるよね、だれにでも」

「まったくそのとおりね」と、サイクスがあいづちを打った。トービー・ヒューバーが愚かにも、オーブンにケースファイルを入れたことを思いだしたのだ。

「説明のつかないことはたくさんある」と、ウィンは続けた。「永久に答えのわからないことが。犯行のとき、突発的な暴力によってだれかの命が奪われるその瞬間に、何があったか。あとから推測したことと、実際におこったことが、まるでちがっている場合も多いと思う」

「やけに哲学的なことをいうね」ラザフォードはガムをかみながら、目を細めた。

ウィンは椅子から立ちあがり、サイクスを見て合図をした。

「少し時間をくれ。ぼくたちであのふたりに、このうれしいニュースを伝えるから。そのあと、あなたが逮捕すればいい」ウィンが保安官にいった。

いちおう「ぼくたち」といってくれたのね、とサイクスは思った。この件にわたしを参加させる必要はないのだ、これはウィンの事件なのだから。でも自分に何度そういいきかせてみても、気持ちは晴れず、腹立たしかった。暗い部屋へこもってさんざん箱のなかを調べ、あちこちへ電話をかけ、アカデミーの授業やいろんなことを犠牲にしたのだ。自分の事件のような気がして当然だ。キムとジョージ・フィンリーに、逃げきれなかったわねといってやれたら、さぞ気分がいいだろう。手錠をかけられて、いままでとは趣（おもむき）のちがう、レーザーワイヤーつきの「お邸（やしき）」に入ることになるのよ、と。

「悪い人たちじゃないんだけどね」ラザフォードは駐車場へ出ながら、ウィンにいった。それからサイクスのおんぼろのV W（フォルクス・ワーゲン）ラビットを、軽蔑するような目でしげしげとながめた。最初にサイクスとウィンがこれに乗ってきたときも同じことをした。「じゃ、用意ができたら電話してくれ」と、彼はウィンにいった。「あのふたりを刑務所に入れたくはないがね」ガムをかみながら、「ここでトラブルをおこしたことは一度もないんだから」

「今後もおこす気づかいはないわ」と、サイクスはいった。

そこから数キロのところにリトルリヴァー・ロードがある。フラットロックの裕福な住人の多くがそこに地所をもち、邸宅をかまえている。避暑用の家もたくさんあった。それらのオーナーの多くはニューヨーク、ロサンゼルス、ボストン、シカゴなど、遠隔の地に住む人たちだ。

サイクスは、舗装されていない長い私道の脇に車を寄せ、片側の、雑草が生い茂っているなかにとめた。ウィンと自分が来たことに向こうが気づいて、警戒するのを避けたかったからだ。ふたりは車をおりて、ヴィヴィアン・フィンリーの甥のジョージと、「九三パーセント東アジア人」である妻のキムが住む家へ向かった。ミセス・フィンリーが殺害されたあと、ジョージとキムがその家を相続していた。この裕福な夫婦は結婚して二十二年になる。ふたりが結婚式をあげたのは、キムの最初の夫のマーク・ホランド刑事が、ノースカロライナの人里はなれた地域の、ものさびしい鉄道線路の踏み切りで自殺をとげた、六ヵ月後のことだった。

「あたしなら絶対やっていたわ」と、サイクスはいった。十分ほど前から、そのことについてウィンとしゃべっている。

「二十年たってからそういうのは簡単だけど」ウィンがたしなめるようにいう。「ぼくたちは、そのときにいなかったんだからね」

「でも、あなただってテニスの予約の記録くらいは調べたでしょう？」ふたりは未舗装の私道を歩いて、家に近づいている。ジョージとキムはその豪邸で、ぜいたくな生活を楽しんでいるのだ。「あたしがやったのと同じことをしたはずよ」

自分がどんなに一生懸命調べたか、緻密で賢明な捜査をおこなったかをウィンが思いだしてくれるよう、またいわずにはいられない。

「もしバーバーがそれをやっていたら、その日ボールマシンを使ったのはミセス・フィンリーではなかったことに気づいたはずよ」そのことはすでに三、四回いっている。「彼女自身がゲストとして申しこんだのでないかぎりね。あそこで尋ねさえすればわかったのに」

「もしかすると、バーバーもぼくと同じような気持ちだったのかもしれない」と、ウインがいった。「自分が絶対にメンバーになれないようなクラブとは、かかわりたくなかったんじゃないかな」

サイクスは彼に身をよせて歩いている。ウィンはその体に腕をまわした。

「ところで、彼女は刑務所へ行くことになるの？」サイクスの頭にあるのは、キム・フィンリーのことではない。

サイクスはモニーク・ラモントのことを考えていた。

「個人的には、あの人はもう十分に罰を受けたと思うけどね。でもまだ調べは終わっていない」

ふたりは陽をあびながら、しばらく無言で歩いた。私道は曲がりくねってどこまでも続いている。いたるところに木が生えていた。サイクスの重苦しい気持ちがウィンに伝わってくる。彼女が悲しみと失望を感じているのがわかった。

「そうね、向こうでやらなきゃいけないことが、まだいっぱいあるわね。あっちへ戻るんでしょう、この連中の始末をつけたら」サイクスはそういって、家のほうを見つめた。

「マサチューセッツのほうでも、優秀な科学捜査官が必要だな」と、ウィンはいった。

サイクスは彼の体に腕をまわし、ぎゅっと抱きよせながら歩いた。

「銀貨の入った箱って、本当にあったと思う？」サイクスはウィンにきいた。話題を変えるため、ウィンがどこに住み、どこで働いているかを考えないようにするためかもしれない。ウィンの活動の場は向こうだ。そして彼がどんなに否定しようと、ウィンの人生はラモントと深くかかわっている。そのことを忘れたかった。

「たぶんね」と、ウィンが答えた。「キムがミセス・フィンリーを殺したあと、とっさにそれをつかんで出ていったんじゃないかな。強盗婦女暴行事件のように見せかけようと思って。実際は衝動的な犯行だったのだろうけど。不審な黒人の男を犯人にしたてあげようとしたんだ。その策略はみごとに成功した。あのころのことだからね。ぼくの父はしょっちゅう警察に通報されていた。自分の家の庭にいるのに、あやしいやつが入りこんでいると思われてしまうんだ」

ふたりの頭上に太陽が照りつけているが、空気は冷たい。木々のこずえの上に、家の屋根が見えてきた。ふたりはお互いの体から腕をはなし、離れて歩いた。ふたたび仕事仲間に戻り、事件の話をする。なぜジミー・バーバーはヴィヴィアン・フィンリーの靴と靴下がどうなったのかを、調べなかったのだろう？　キムは血だらけのテニスウェアを脱ぎ捨てて逃げるとき、何を着ていったのだろう？　サイクスはこうしたさまざまな疑問を口にした。

やがて目の前に家があらわれた。いまやともに六十代のジョージ・フィンリーと妻のキムが、白く塗られた広々したポーチの白い椅子にすわって、昼食をとっていた。ウィンとサイクスは彼らを見つめ、ポーチの上のカップルはふたりを見つめた。

「あとはきみにまかせるよ」ウィンは静かにいった。

サイクスは彼を見た。「本当?」

「これはきみの事件だよ、相棒」

ふたりは板石敷きの小道を歩いて、ポーチの木の階段へ向かった。ジョージとキムは食べるのをやめている。キムが椅子から立ちあがった。白髪まじりの髪をうしろでとめ、黒っぽい色つき眼鏡をかけた、猫背の女性だ。しわの具合からすると、よく顔をしかめるらしい。

「道に迷ったの?」彼女は大声できいた。

「いいえ、迷ってはいないわ。ぜんぜん」サイクスは答え、ウィンといっしょにポーチに上がった。「あたしはテネシー州捜査局の特別捜査官、デルマ・サイクス。こちらはマサチューセッツ州警察のウィンストン・ガラーノ捜査官よ。このあいだ、電話でお話ししましたね」とジョージにいう。

「ああ、そうだった」ジョージは咳払いした。白髪の小柄な男性だ。当惑したような顔で、アイゾッドのシャツの前にはさんだナフキンをとった。立つべきか、すわったままでいるか、決めかねているようだ。

「ヴィヴィアン・フィンリー殺害事件の捜査が再開されたんです。新しい証拠が見つかったので」とサイクスはいった。

「あんなに前の事件なのに、いまになってどんな証拠が見つかったというの？」と、キムがいう。とまどったふりをしている。事件のことを思いだして、気持ちが重くなったといいたげだ。

「あなたのＤＮＡですよ、奥さん」と、サイクスはいった。

15

彼が祖母といっしょに秘密の任務に出かけたのは、十月半ばのことだった。ひんやりした、さわやかな夜で、月は出ていなかった。

ふたりは車でウォータータウンの、とある住所へ急いだ。毎週末、その家の地下室でひそかに闘犬がおこなわれる、と祖母の客からきいていた。おそろしい死闘がくりひろげられる。パグ、テリア、ブルドッグ、ピットブルなどの犬が、飢えさせられ、けしかけられ、ずたずたに引き裂かれるという。入場料は二十ドルだった。

ドアをたたく祖母の顔と、むさくるしい、暗い家のなかに祖母がずんずん入っていったときの男の顔は、いまだに鮮明におぼえている。

「あんたをこうやってはさんで」祖母は親指と人さし指で何かをつまむような仕草をした。「ひねりつぶしてやる。犬はどこにいるの？　一匹残らず、つれて帰るからね」そして二本の指を互いにぎゅっと押しつけ、それを男の卑しい、冷酷そうな顔につきつけた。

「イカれたばばあめ！」男はわめいた。

「庭を見てごらん。ぴかぴかの新しい一セント銅貨が、ばらまいてある」と、祖母はいった。年月によって多少事実が脚色されているかもしれないが、ウィンの記憶では、祖母が銅貨のことを口にし、男が庭を見ようと窓のそばへ寄ったとたん、突風が巻きおこり、木の枝がその窓にあたってガラスが粉々に砕けた。

祖母とウィンは、車に何匹もの犬を乗せて、そこを去った。犬はみなひどい傷を負い、無残な姿になっていた。ウィンは泣きじゃくりながら彼らをなでさすり、なんとかその苦痛をやわらげ、震えをとめようとした。犬を動物病院へ預けてから、ふたりは家へ向かった。気温が下がってとても寒くなっており、家へ帰るとヒーターがついていた。そしてウィンの父と母とペンシルが死んでいた。

「ペンシルって?」モニーク・ラモントがガラスのデスクの向こうから尋ねた。

「まぬけな黄色い犬。ラブラドルレトリーバーの雑種でね。ペンシルって名前だったんだ。子犬のとき、いつもぼくの鉛筆をかじっていたから」

「一酸化炭素中毒ね」

「そう」

「お気の毒に」ラモントがいうと、空疎にきこえる。

「ぼくのせいでそうなったような気がした。あなたもあのことについて、そんなふうに感じているんじゃないかな。自分のせいだと。レイプ事件の被害者は、そう感じることが多い。あなたも知っているとおり。そういうケースは何度も見たことがあるだろう、検察局でも法廷でも」

「わたしは被害者ではないわ」

「あなたはレイプされたうえに、殺されかけたんだよ。でも、たしかにそのとおり。あなたは被害者ではない。過去に被害者だったんだ」

「あなたもそうでしょう」

「そうだね。ちがう意味でだけど」

「いくつだったの？」

「七歳」

「ジェロニモ。なぜジェロニモなのか、前からふしぎに思っていたの。勇気？　決意？　家族の死への復讐（ふくしゅう）？　偉大なアパッチ族の族長よね」

上等な黒いスーツを着たラモントは、すっかり元の彼女に戻っていた。オフィスに飾られたガラスが、陽ざしを受けて一斉に輝いている。ウィンは虹のなかにいるような気がした。ラモントの虹だ。もし彼女が真実を包み隠さず話してくれれば、希望はある。

「ヒーローになる必要があったから？」と、ラモントはきいた。思いやりを示し、内心の不安を隠そうとしている。「ひとり残ったあなたが、戦士になるしかなかったから？」

「そうじゃなくて、自分は役に立たない人間だと思ってしまったからだ。スポーツをやったり、競争したり、チームに入ったりしたくなかった。何であれ、評価されるようなことはやりたくなかった。自分が役立たずだってことが、わかってしまうから。だから家に閉じこもって、本を読んだり絵を描いたり、文章を書いたりといった、ひとりでできることばかりやっていた。そのうち祖母が、ぼくをジェロニモと呼ぶようになったんだ」

「自分が役立たずだと、あなたが思っていたから？」ラモントはスパークリングウォーターのびんに手をのばした。美しい顔にとまどいの表情が浮かんでいる。

祖母はいつもいっていた。「おまえはジェロニモだよ、ウィン。それを忘れちゃいけないよ」と。

ウィンはラモントにいった。「ジェロニモはいろんな言葉を残している。そのひとつはこうだ。『人間が役に立たない存在だとは思えない。もしそうなら、神は人間を創造していないはずだから。太陽と闇と風は、みなわれわれのいうことに耳をすましている』。というわけで、これが自分自身についてのぼくの話だ。真実だよ、モニーク」そしていい添えた。「今度はあなたの番だ。じっくりきくよ。ただし、何もかもすべて話してくれるならね」

ラモントは水を飲み、ウィンを見て、すこし考えた。「なぜ気にするの、ウィン？本当のところ」

「正義のためだ。この事件の核心については、あなたに責任はないから」

「わたしを刑務所に行かせたくない、と本気で思うの？」

「あなたは刑務所に入るべき人ではない。ほかの収監者が迷惑するよ」

ラモントは驚いて笑った。だが笑いはすぐに消え、彼女はそわそわした様子で、また水を飲んだ。

ウィンはいった。「知事選であなたを不利にすることだけが、この事件の目的ではないんだろう？」

「そう」ラモントは彼を見つめながらいった。「もちろん、ちがうわ。目的はふたつあったのよ。わたしがフィンリー殺人事件のファイルを紛失し、それがあとで自分の敷地内で発見されたとなると、『危機回避』構想は茶番劇になってしまう。わたしと地区検察局は物笑いになるわ。そしてヒューバーは、知事のおぼえがめでたくなる。

ふたりは結託してこれをやったのよ。まちがいないわ。わたしが殺されるか、社会的に抹殺される。あるいはその両方。わたしの葬式では、みんながわたしをけなすでしょう。役立たずだったと。わたしもその言葉はよく知っているのよ、ジェロニモ」言葉を切って、ウィンを見る。「役に立たない、愚かなやつだったと」

「知事はあなたが殺害されることを望んでいたのか？」

ラモントは首をふった。「いいえ。知事はわたしを選挙で勝たせたくなかっただけ。ジェシーは知事に感謝されたかった。あの人がどうやっていまの地位を手に入れたと思う？　恩を売ったり、ごまかしたり。ジェシーはわたしを亡きものにしたかった。もちろん、わたしが死ねばクローリーもほっとするでしょう。でも、彼がそれを画策したわけではない。われらが敬愛する知事には、そんな度胸はないわ。ジェシーは昔から大きなことをするのが好きだった。とくに、お金がからんでいると」

「インサイダー取引だね、モニーク？　この件で脚光をあびることが予想される、DNA研究所の株を買ったんじゃないか？」

ラモントはスパークリングウォーターに手をのばした。びんは空だ。彼女はストローをぬき、デスクの下のガラスのくずかごに捨てた。

「プロヘモゲン」と、ウィンはいった。「遺伝子を調べて、患者に合った薬を見つけるためのDNAテクノロジーだ。メディア向けのショーのためにあなたが選んだ研究所は、刑事事件にかかわるDNAプロファイリングも手がけている。でも、それをやってもたいして金が儲かるわけではない」

ラモントはきいている。その顔には、事件について考えをまとめるときによく見せる、おなじみの表情が浮かんでいる。

「儲かるのはゲノミクス、つまりゲノム科学を使った次世代型の医薬品の開発だ。これは巨額の金を生む」

彼女は黙ったまま、熱心にきいている。

「あなたと知事のおかげで、カリフォルニアのあの研究所は、全国的に注目されることになる」と、ウィンは続けた。「テネシーでおきた老婦人殺害事件のために。彼らにとっては、悪い話ではない。研究所の、金になるバイオ技術に世間の注意を向ける。いわばただで宣伝してやる。するとどうなるか？　研究所の株価が上がる。あなたはそこの株をどれぐらいもっているんだ？」

「そう考えると、すくなくともこれははっきりするわ。わたしがケースファイルを自宅にもち帰って、隠していたように見せかけるけど、必ず見つかるようにしておく。それがやつらのシナリオだったのね」

ウィンは長いこと彼女を見てから、答えた。「実に狡猾（こうかつ）なやりかただ。あなたを破滅させる。でも自分たちにとっては都合よくことが運ぶようにしておく。ケースファイルはいずれ見つかる。大きく報道されるだろう。犠牲になるのはあなただ。事件が解決されるかどうかはわからない。だがどっちにしても、カリフォルニアのその研究所にとっては、いい宣伝になる」

「そんなことをしなくても、研究所は注目されたでしょう。実際、すでに注目を集めているわ。事件は解決されたんですもの」

「研究所は何も悪いことはしていない。それどころか、大いに役に立った。事件を解決する手助けをしたんだ」

ラモントはうなずいたが、うわのそらのようだ。

「悲しいことに、殺された老婦人のことなど、だれも問題にしていなかった」と、ウィンはいった。「当局者にとって、彼女のことはどうでもよかったんだ」

ラモントは考えこんでいる。頭のなかで、自分に都合よくこの件を組み立て直しているのかもしれない。「信じないでしょうけど、わたしはどうでもいいとは思っていなかったわ。彼女のために事件を解決したかった」

「どれくらい株をもっているんだ？」ウィンはもう一度きいた。

「ゼロよ」

「本当？」

「わたしはそんなことを考えもしなかった。その研究所のことは何も知らなかったの。でもジェシーは立場上、バイオテクノロジーに関するいろんな情報を手に入れることができる。世界中に設立される、民間研究所の内情に通じているわ。わたしは知らなかった。カリフォルニアの研究所や、そこのバイオテクノロジーのことをね。二十年前の殺人事件について調べているという認識しか、わたしにはなかった。その事件が、『危機回避』とわたしが名づけた犯罪撲滅キャンペーンの目玉として、メディアに大きくとりあげられたというだけ」

「襲われる前の晩、いっしょにいた相手はヒューバーか？　鍵がなくなったのも、たぶんそのときだろう？　外出先に泊まって、そこから直接オフィスへ行ったということだったけど」

ウィンはガラスのデスクの上にMDレコーダーを置いて、録音しながらメモをとっている。

「いっしょに食事をしたの。たしかに……あの人はどんなことでもやりそうな気がする……」

「動機は？」ウィンは彼女がはぐらかそうとするのを、さえぎった。

ラモントはしばらく黙っていたが、やがて口をひらいた。「ジェシーとわたしは友達よ。あなたとジェシーの関係と同じ」

「それとはちがうと思うね」

「何ヵ月か前、ジェシーが株についてアドバイスしてくれたの」ラモントは咳払いし、声が震えるのをおさえようとした。「その株で儲かったけど、一週間後に彼がやっていることに気づいたわ。どこかの研究所が開発した医薬品の販売を、当局が認可したという記事が、新聞にのったの。フィンリー事件にかかわった研究所ではなく、べつのところよ」

「彼があなたの殺害をたくらむ動機になるのか、それが？」

「ジェシーは、いろんな企業からインサイダー情報を得ているの。ここのデータベースに入れる、何千というＤＮＡサンプルの分析をそこへ委託する。ほかの州のデータベース用にもそうした企業を推薦する。それから自分の研究所で使う器具を大量に購入する。ほかの研究所にも同じ製品を買うようすすめる。そうしたことの見返りとしてね。もう何年も前からよ」

「彼はそのことをあなたに認めたのか？」

「ジェシーから株に関するアドバイスを受けてから、だんだん事情がわかってきたの」レコーダーに目をやる。「いろいろなことをわたしに話せば話すほど、わたしを巻きこむことになる。わたしはからずもインサイダー取引をしてしまった。つぎは共謀の罪をおかしたことになる。州の科学捜査研究所の所長が何をやっているか知りながら、それについて黙っていたわけだから。しかも……」

「そう。彼と、プロフェッショナルにあるまじき関係を結んでいる」

「ジェシーはわたしを愛しているの」彼女はレコーダーを見つめていった。その声には何の感情もこもっていない。

「それをああいう形であらわすとは、すごいな」

「何ヵ月も前に、その関係を終わらせたの。株についてのアドバイスを受けたあとに。ジェシーがやっていることに気づいたから。自分が何にかかわってしまったか、彼がどういう人間かがわかった。それで、もう恋人としては愛していないと、ジェシーにいったの」

「脅すようなことをいったのか？」

「彼がやっている違法行為にはもうかかわりたくない、そうしたことはやめるべきだといったわ。やめないと、重大な結果を招くことになると」

「それをいったのはいつ?」

「今年の春。あまり賢明ではなかったわね」ラモントはレコーダーをじっと見つめて、つぶやいた。

「ここに弁護士を同席させることもできたんだよ。これはすべて、あなたが自分の意思で話したんだ。ぼくが強制したわけではない」

「ところで、そのスーツ、なかなかいいわね」ラモントは彼が着ているライトグレーのスーツを見て、ごくりとつばを飲みこみ、ほほえもうとした。

「エンポリオ・アルマーニだ。三シーズンほど遅れたやつ。七十ドルだった。ぼくが強制したんじゃないからね」と、またいう。

「そのとおりよ。結果はあまんじて受けるわ」

「ヒューバーに不利な証言をする?」

「喜んで」

ウィンはレコーダーを手にとり、ディスクをとりだした。「ここには、このビルを丸ごと燃やせるほど大量のガラス製品があるって考えたことはない?」

彼はクリスタルのペーパーウェイトを選び、窓からさしこむ日ざしにそれをかざし、ディスクの上の一点に光を集めた。熱くなったその点から煙がたちのぼるのを、ラモントはあっけにとられて眺めた。

「何してるの？」

「あなたはとても危険なところに住んでいるんだよ、モニーク。いつなんどき燃えあがるか、わかったものじゃない。気をつけたほうがいいよ。あまり自分のことで熱くならないように。ほかへ関心を向けるといい。それにふさわしい目的のために、エネルギーを使ってほしいな」

ウィンは壊れたディスクを彼女にわたした。ふたりの指が軽くふれあう。「おじけづいたときのためだ。これをとりだして、ぼくのいったことを思いだしてくれ」

ラモントはうなずいて、ディスクをポケットに入れた。

「もうひとつ、忠告しておくよ。ほかの人に尋問されたとき……たとえば大陪審の陪審員に」と、ウィンはさらにいった。「必要のない細かい点は、省いたほうがいい。知おそらくたいていの人は、ヒューバーがあなたを陥れようとしたと思うだろう。いまの事と共謀してね。嫉妬、ふられた恨み、金銭欲といったものに動かされて。メモ帳を見話はだいたい書きとめた。この問題に直接関連のあることだけね」と、せる。「誤解を招くような情報は省いた。どういう情報かわかるね。ヒューバーが推薦した株のことや、彼に打ち明けられ、あなたが人にはいわずにいた違法行為のことだ。証拠がない。あなたがどんな株を買おうと自由だ。買ったからといって、インサイダー情報を得ていたことにはならない。最終的には、ヒューバーとあなたのどっちのいうことを信じるかという話になる」

ラモントは彼をまじまじと見つめた。ウィンは携帯電話の通話ボタンを押した。

「サミー？　事情聴取のためヒューバーを連行してくれ。そう。いよいよだ。令状をとって、彼の所有している家屋をすべて捜索する。それから、われらが相棒、トービー。あいつも連れてきてくれ」

「合点だ。まかせてくれ」と、サミーはいった。

「殺人未遂。殺害と放火の陰謀。それから」ウィンはラモントを見た。以前のあの鋭い眼光がいくらかよみがえったようだ。「ヒューバーの証券取引法違反については、FBIも喜んで話をきくだろう」

「それから？　わたしはどうなるの？」ウィンが電話を終えると、ラモントがきいた。「本当にわたしは罪に問われないと思う？」

「おもしろいな。変わらないものだね」ウィンは椅子から立ちあがり、彼女に笑いかけた。「やっぱり、まず自分のことなんだね、モニーク」

訳者あとがき

著者の名前を見て本書を手にとり、おや？　と思われた方もおられるだろう。パトリシア・コーンウェルの新作ではあるが、これはおなじみの「検屍官ケイ」シリーズではない。登場人物も舞台設定もこれまでにない、まったく新しい作品だ。

とはいえ、作者のトレードマークともいうべき科学捜査は、本作でもストーリーの上で重要な役割をはたしている。通常とちがうのは、ここでは現在の事件だけではなく、二十年も前の迷宮入り事件を解決するために、科学捜査がおこなわれる点だ。当時はまだなかったDNA型鑑定などの技術を使えば、行き詰っていた捜査を打開できるかもしれないというのだ。

しかし目下おこっている事件も数多いというのに、なぜ昔の犯罪にいまさら目を向けるのか？　それも老婦人が自宅に押し入った何者かに撲殺されるという、痛ましくはあるがありふれた強盗殺人と思われる事件に？　それには権力や名誉を求める者たちの、政治的思惑がからんでいる。そして彼らにいわば利用される形で捜査にたずさわるのが、主人公ウィン・ガラーノだ。父親が黒人、母親がイタリア人の彼は、「なめらかな褐色の肌、漆黒の髪、そして気分によって変化する瞳」をもつ、魅力的な青年だ。

再捜査を彼に命じるのは、権力欲のかたまりのような美貌の女性地区検事、モニーク・ラモントだ。昔の迷宮入り事件の解決を、犯罪撲滅キャンペーンの目玉にするつもりだったが、その指揮をとる彼女自身が、ある凶悪事件に巻き込まれてしまう。そこでウィンは現在と過去の事件の捜査を、並行して手がけることになる。

彼の助っ人として活躍するのが、「ウィンの母親といってもいいほどの年」であることに引け目を感じつつも、ひそかに彼に思いを寄せる女性捜査官サイクスだ。ラモントにふりまわされるウィンを、陰で支える。

そうした面々に、科学捜査研究所の所長、麻薬中毒であるその息子、タロット占いが趣味で透視能力のあるウィンの祖母、といった人物たちがからみ、ストーリーはボストンとテネシー州ノックスヴィルを舞台に、歯切れのよいテンポで展開していく。そして単純な強盗殺人のように思えた事件が、しだいに列車による轢死やパラシュートの墜落事故などがかかわる、複雑で奇怪な犯罪の様相を呈してくる。

本書はもともとニューヨーク・タイムズ・マガジンに連載されていた小説だ。この雑誌はニューヨーク・タイムズ日曜版の別冊として発行されているもので、二〇〇五年の九月から、文芸欄に当代の人気作家による連載小説が掲載されるようになった。初回の執筆者はエルモア・レナード。コーンウェルによる本作は二回目の連載小説として、二〇〇六年一月はじめから四月半ばまで、十五週にわたって掲載された。その後、スコット・トゥロー、マイクル・コナリーなどの作家が執筆している。

まだ確定ではないが、本作がシリーズ化されるという話もある。もし実現すれば、ハンサムな捜査官ガラーノの今後の活躍ぶりや、サイクスの切ない恋の行方も、あきらかになるだろう。

本書を訳すにあたっては、法科学鑑定調査研究所の皆様に大変お世話になった。忙しい業務の合間に、本書に登場する最先端の機器や技術について丁寧に解説してくださった研究員の方々に、この場を借りて、心からお礼を申しあげます。

二〇〇七年七月　　　　相原真理子

●本書はThe New York Timesに二〇〇六年一月八日号から同年四月十六日号まで連載のうえ単行本化されたAT RISKを邦訳し、週刊現代二〇〇七年一月六・十三日合併号から同年八月四日号まで連載したものです。

|著者|パトリシア・コーンウェル　マイアミ生まれ。警察記者、検屍局のコンピューター・アナリストを経て、1990年『検屍官』で小説デビュー。MWA・CWA最優秀処女長編賞を受賞して、一躍人気作家に。検屍官シリーズは、1990年代ミステリー界最大のベストセラー作品となった。他の作品に正義感あふれる女性警察署長とその部下たちの活躍を描いた『スズメバチの巣』『サザンクロス』『女性署長ハマー』、7億円の私費と現代科学の粋をかけて〝切り裂きジャック〟の正体に迫ったノンフィクション『真相』など。本書はThe New York Times Magazineに2006年1月より連載された新シリーズ第1作です。

|訳者|相原真理子　東京都生まれ。慶應義塾大学文学部卒業。ブレスリン&ミジェット『王様と私』、クィンドレン『幸せへのステップ』(ともに集英社)、コーンウェル『検屍官』シリーズ、『スズメバチの巣』『サザンクロス』『真相』(以上、講談社文庫)など、翻訳書多数。

捜査官(そうさかん)ガラーノ

パトリシア・コーンウェル|相原真理子(あいはらまりこ) 訳

講談社文庫
定価はカバーに
表示してあります

2007年8月10日第1刷発行

発行者――野間佐和子
発行所――株式会社　講談社
東京都文京区音羽2-12-21　〒112-8001
電話　出版部　(03) 5395-3510
　　　販売部　(03) 5395-5817
　　　業務部　(03) 5395-3615

デザイン―菊地信義
本文データ制作―講談社文芸局DTPルーム
印刷―――凸版印刷株式会社
製本―――有限会社中澤製本所

Printed in Japan

落丁本・乱丁本は購入書店名を明記のうえ、小社業務部あてにお送りください。送料は小社負担にてお取替えします。なお、この本の内容についてのお問い合わせは文庫出版部あてにお願いいたします。

ISBN978-4-06-275813-0

講談社文庫刊行の辞

二十一世紀の到来を目睫に望みながら、われわれはいま、人類史上かつて例を見ない巨大な転換期をむかえようとしている。

世界も、日本も、激動の予兆に対する期待とおののきを内に蔵して、未知の時代に歩み入ろうとしている。このときにあたり、創業の人野間清治の「ナショナル・エデュケイター」への志を現代に甦らせようと意図して、われわれはここに古今の文芸作品はいうまでもなく、ひろく人文・社会・自然の諸科学から東西の名著を網羅する、新しい綜合文庫の発刊を決意した。

激動の転換期はまた断絶の時代である。われわれは戦後二十五年間の出版文化のありかたへの深い反省をこめて、この断絶の時代にあえて人間的な持続を求めようとする。いたずらに浮薄な商業主義のあだ花を追い求めることなく、長期にわたって良書に生命をあたえようとつとめるところにしか、今後の出版文化の真の繁栄はあり得ないと信じるからである。

同時にわれわれはこの綜合文庫の刊行を通じて、人文・社会・自然の諸科学が、結局人間の学にほかならないことを立証しようと願っている。かつて知識とは、「汝自身を知る」ことにつきていた。現代社会の瑣末な情報の氾濫のなかから、力強い知識の源泉を掘り起し、技術文明のただなかに、生きた人間の姿を復活させること。それこそわれわれの切なる希求である。

われわれは権威に盲従せず、俗流に媚びることなく、渾然一体となって日本の「草の根」をかたちづくる若く新しい世代の人々に、心をこめてこの新しい綜合文庫をおくり届けたい。それは知識の泉であるとともに感受性のふるさとであり、もっとも有機的に組織され、社会に開かれた万人のための大学をめざしている。大方の支援と協力を衷心より切望してやまない。

一九七一年七月

野間省一